世界一やさしい おうちゆるモンテッソーリ

モンテッソーリ・ホームレッスン代表
菅原陵子

実務教育出版

あなたはいま、どんな気持ちでこの本を開いていますか？

たとえば、
モンテッソーリ教育に興味はあるけど、よくわからない。
モンテッソーリ教育に惹かれているのに、
近くにモンテッソーリ園などの施設がない。
スクールだと「なんちゃって」に見えるけど、
どうなんだろう……？　なんて思っていませんか？

あるいは、スクールや園があるなら通わせてみたいけど、
お金がかかりそう……。

おうちでやってみたいけど、家が狭くて場所がない。
一度やってみたけど、ハードルが高かった！
うちの子には合わないと思っている……でしょうか？

あなたのお子さんは、何歳ですか？
モンテッソーリ教育は幼児期だけ？
いえいえ、10歳までなら、まだ間に合います。

この本をお読みいただくことで、
モンテッソーリ教育に惹かれているすべての方の
自分らしい育児ができる
「おうちゆるモンテッソーリ」のやり方が見つかります。

はじめに
――おうちモンテッソーリで自分らしい育児、始めませんか？

本書を手にとっていただき、ありがとうございます。

モンテッソーリ・ホームレッスン代表の菅原陵子と申します。

2007年にモンテッソーリ教育を知って以来、「子どもが10歳までおうちででき る」モンテッソーリ教育のプロとして、子育て中の親御さんと歩んできました。

サポートしたご家庭は2万組を超え、お母さまだけではなくご夫婦とのおつきあいが長いのも、私のおうちモンテッソーリの特徴です。


この本は、そんな2万組の親子が実践してきた「おうちモンテッソーリ」をあますところなくご紹介した本です。実践していただくと、「こうしないと」という不安からではなく、「こうしたいな」という願いから育児ができるようになります。

子育ては、子どもが小さければ小さいほど、毎日、目先のことに追われるような気持ちになりがちです。でも本当は、子育ての日々は子どもと家族の未来につながるもの。そして、子どもとパートナーと作るとってもクリエイティブなものです。
おうちモンテッソーリをしていくと、忙しい毎日の中でも、ふわっと「うちの子らしさ」を感じながら、あなたにとって「自分らしい育児」を見つけることができるようになります。

すると、どうなるか？

- **子どもの特性＝うちの子らしさがよくわかり、無理なく自己肯定感の高い子が育つ**
- **学んだり、考えるのが好きな子どもが育つ**
- **遊んでいても、伸びる。小学・中学受験に強い子になる**
- **親子・夫婦でなんでも話せ、子どもが安心できる家庭になる**

挫折しない「ほんとうのおうちモンテッソーリ」をしよう

10年前、モンテッソーリ教育は「ちゃんとした施設や園で、プロの先生が、正しく行うべき」という考え方が主流でした。おうちでするにしても、「モンテッソーリ教育はこうあるべき」という、茶道のような型を間違いなく実践するものと考える方がいまも多くいます。

でも、私はずっと「おうちの『普通の暮らし』でできるモンテッソーリ教育があるはず」と考えていました。おうちでするからこそ、時間・お金・場所に縛られずに自分らしい子育てができる。なにより、親子円満で伸びる子が育つ。そんな「ふだん使いの『ゆる（い）』おうちモンテッソーリ」として伝えてきました。

そしてこの10年、たくさんのご家庭から「モンテッソーリ教育を、と思ったけれど、近くに園がない。先生が気に入らなかった。お家でやろうとしたけれど、できない。先生に学んだけど、挫折する……」そんな相談の声をたくさん聞いてきました。

モンテッソーリ教育をおうちでしようとすると、どうして挫折しやすいのか？

それは、モンテッソーリ教育という形に、自分と子どもを合わせようとするから。

モンテッソーリ教育は、単なるメソッドなのです。

道具として使ってこそ生きるもの。だから、「自分の子育てと子どもにモンテッソーリを生かす」そんな視点が必要です。この本では、それをモンテッソーリの誤った解釈からひもといていきます。

モンテッソーリ教育には、たくさんのキラーワードがあります。たとえば、集中、敏感期、環境をつくる、教具など。そのとらえ方を教科書的に正しくしよう思っていると、モンテッソーリの実践がとても難しいものになります。

学校のテストではないので、知った上でどう使うか？が大切。知識を使える「おうちでできる」モンテッソーリに変えていきましょう。

親子の「おうちモンテ」は10歳までできる

あなたは、子育てのゴールをどのようにイメージしていますか？

いろいろな考え方があると思いますが、「子どもが自分で収入を得るまで」と考えると、じつは20年近くかかるもの。そしてこの20年の間に、親子は、能力の面でも、気持ちの面でも、たくさんの自立と変化を経験していきます。

その20年の中で、たった一つ、どんな時も変わらないもの、それは「子どもを思う親心」。

体も、心も、頭も、その子にとってベストであるよう、最大限に伸ばしてあげたい。そして、幸せな大人であってほしい。そのためにできることをしてあげたいと思う気持ちです。

そう願う一方で、このご時世、理想に描くようなお金や時間をかけられない……。という方も多いと思います。「おうちモンテッソーリ」はその残念さを払拭し、あなたの理想の子育てを叶えてくれるものになります。

私のお伝えするおうちモンテッソーリは、コスパがよくて実践的。

幼稚園などで「先生と生徒」として教えるものではなく、お家で「親と子」として日々の生活を共にする中で、効果を発揮します。

もう少しシンプルに言えば、あなたのお子さんの「見方」と「かかわり方」をモンテッソーリ的に変えてくれるメソッドです。幼児期だから、など学齢ではなく、子どもが、心も、体も、知性も、変化する10歳の初めまで、親子で一緒にすることができます。


子育ては誰もが迷い・悩み、不安になるもの。だからこそ、育児を「子どもを育てるもの」と考えるのではなく、「自分たち家族で育っていくもの」と考えてみる。

よく、「私は子どもに育ててもらった（ようなもの）」というお話をききますが、子育てが終わる20年後にそう思うのではなく、子どもとすごす20年のうちに、子どもやパートナーとそう実感できたら、おうちは子どもが「いつでも帰ってきたくなる」安心で大好きな場所になります。そして、自己肯定感の高い子どもが育ちます。


決まりごとが多そうなモンテッソーリ教育ですが、おうちモンテッソーリですることはとてもシンプル。日々の暮らしが楽しくてラクになる「おうち『ゆる』モンテッソーリ」に、ぜひお子さんと、パートナーの方と一緒に取り組んでみてくださいね。

この本の登場キャラクター

赤ちゃん

活発な妹

慎重なお兄ちゃん

少しマイペースなママ

まじめで慎重派のパパ

「おうちゆるモンテッソーリ」の世界にようこそ！
「おうちゆるモンテ」って呼んでくれると嬉しいな。

この本は章ごとに、「文章＋イラスト解説」のつくりになっているよ。
だから、急がずじっくり読んでみてね。
準備はOK？ ではおうちゆるモンテの旅にしゅっぱーつ！

モンテちゃん

皆さんの「おうちゆるモンテ」体験記をご紹介します！

モンテに興味がなくても、子どもを思う気持ちがあれば大丈夫！

私はもともとのモンテッソーリの具体的な方法をあまり知らなかったこともあり、「え～待って、理解が追いつかない～」と思ったりもしたのですが、りょうこ先生が「シンプルに、とりあえず10秒待ってみて！」と言います。「いやいや、10秒って、私のような育児苦手ママができるわけ…」と思いました。思いましたが！ とりあえず今日10秒待ってみたら、「う、そ、で、しょ!?」すごい気づきの嵐でした…。同時に、なんてこと！ いままで待たなかったことでこんなに子どものサインを見逃していたのか！ 子どもも「おいおい、母ちゃん、やっとわかったのか?」と、ニヤリとしてくれました。

10秒待つだけでこんなに世界が変わるんですね…。育児のモヤモヤの質が変わります。「できない」↓（モヤモヤ）↓「ちょっと良くなる」↓（モヤモヤ）↓「できてる気になって、調子に乗る」↓（心がけを忘れる）↓「あれ、やっぱりできてないじゃん」↓（モヤモヤ）↓「ちょっと良くなる」↓（繰り返し）をしている気がしています。そのおかげか、立ち直りが早くなったり、モヤモヤのおかげでアンテナを張るから、改善することが楽しめるように。

T・Tさん

子どもも、子育ても苦手だったのが変わりました。

私はあまり外の活動が好きではないので、苦手に思っていた子どもとの外遊びが、できる範囲から一緒に楽しめることをやってみると、お互いに満たされる時間になるんだなあと感じるようになりました。常にどこかから教材を探してこなくてはいけないような世の中の空気ですが、りょう子先生が「おうちモンテ」で紹介してくれるワークや、お母さんらしさ&うちの子らしさの見つけ方は、親子時間を変えてくれる。子どもに「ある」ものから拡げていく豊かさみたいなものを大事にしていきたいと思うようになりました。

本当は自分らしい育児がしたいのに、まわりを気にして子どもを叱ることがなくなりました。

S・Rさん

夫婦で話す時間が増え、仲もよくなりました。

夫が子どもにきついもの言いをするのを聞いて、いつも嫌だなーと思っていました。そのことでケンカになることも。そんなモヤモヤを変えたくて、おうちモンテを始めました。

少しづつ、夫婦と親子のコミュニケーションの仕方が変わっていき、ある日夫と、「私はあなたとこういう子どものことについて話をして、いろんな壁、問題を共有して、二人で答えを見つけていけるこの瞬間がとても喜びだな、なんだかいますごくいいなというホッとする、安心する気持ちがある」と話せたときは嬉しかったです。

先生の「あるものをあるものとして扱う」という言葉がいまも頭の中にずっと残っていて、いまでは夫婦の合言葉のようになっています。自分へのダメ出しも、子どもへのダメ出しも減りました。

T・Mさん（小学生と幼稚園児のお母さん）

生徒さんの声

季節やお節句も楽しめるようになる不思議！

子育てにいいとわかっていても、お節句など季節の行事がめんどくさかったんですが、りょう子先生のおうちモンテで価値観が変わりました。去年は出さずに終わったカブトも、いまはいそいそと出すように。

「ていねいな暮らし」とか聞いても「現実は、ひたすら時間に追われて、そんなことしてる余裕ないよ…」とやさぐれていた自分が、なんだか季節やらお節句やらを楽しめるようになっているこの不思議。

私的には、りょうこ先生は「そうはいってもさー、現実は○○だからねー。そこで…」と、「実生活でバタバタな親でもできるモンテ」を教えてくれる感じが好きです。ホントに、幼児教室の先生って理想しか提示しない！ そこからくるあせりがなくなりました。

N・Kさん（小学生と幼児3人のママ）

よその子との違いやしつけに不安がなくなります！

子どもができないことを、気持ちの余裕を持って受け入れられることが増えました。「できないって言うなんて、すぐあきらめちゃうダメな子だわ」「できないって言わずに、自分でやりなさいよ（すぐ頼るなんて甘い）」など、「できない」という子どもに、意味をつけてイライラしていたのが変わりました。

少しずつですが、「できない」はどんな種類のもの？ とちょっと立ち止まってみたり、観察するってどういうことかもわかってきました。それだけで「この子はできないと思ってるんだ〜、そっか〜」と、対応できるようになりました。

息子も、「以前だったら怒ってたのに（あれ？）」みたいな反応も。「使えるモンテ」ってとてもいいと思っています。

S・Iさん（小学生と幼児のママ　はじめたのはどちらも幼児）

毎年、毎年同じことをしているのに、成長が見つかります。

「おうちモンテ」をやってみて、最初の年はなるべくたくさんの要素をしっかりやらなくちゃ、という焦りがありました。

でも今年は「季節のワーク」のお月見で、今年は、お野菜飾るのを忘れたし、お花も買いに行けなかった十五夜ですが、こうして我が家の行事になっていくのだなという実感があり、「積み重ねってこういうことか」と、じんわりと嬉しくなりました。

息子の興味関心のあるところ、好きなところやあまり興味ないところ、嫌だったり苦手なところの年ごとの共通点と、去年とは違うところも浮き上がってきて、それもまた面白いと思うようになりました。親が主導でがんばるのではなく、子どもと一緒に成長する。何度も何度も「ああ、そうなんだ」と子どもに思うことで、うちの子すごいな。と心から思えるようになりました。

O・Aさん（男の子二人のママ）

「おうちモンテをしていてよかった」お受験で実感しました。

お受験をしてみて、「お受験も、日常生活をモンテ的にするだけで全部できるよ。プリントより実体験だよ」ととりょう子先生がよく言っていた意味がわかりました。

そして、ふだんの子どもとの暮らしの中で、子どもに伝えられることがたくさんあることにびっくり。お受験に挑戦したことで、「おうちモンテ」がどうやって子どもの力になっていくかがわかりました。

「できること」に目がいくと子どもを見失うけど、おうちモンテをすると子どもを置いてけぼりにしないで、親子で育つことができます。

H・Yさん（年長の男の子、お受験をしたママ）

目　次

はじめに……4

第0章　おうちゆるモンテッソーリの8大メリット

・メリット1　AIに負けない子に育つ！……25
・メリット2　一生モノの親子の絆がつくれる！……27
・メリット3　自分らしい育児で賢い子が育つ！……29
・メリット4　子どもが賢い子に育つために親がやるべきことがわかる！……31
・メリット5　いまの時代に合ったモンテッソーリができる！……33
・メリット6　いつもの毎日で賢い子になる！……35
・メリット7　夫婦仲まで良くなる！……37
・メリット8　コスパ最高の育児ができる！……39

第1章　モンテッソーリ教育きほんのき

・「子どもの自立を育む」のがモンテッソーリ教育の本質……42

・モンテッソーリの教育ポイント①「集中」……43
・モンテッソーリの教育ポイント②「敏感期」……45
・モンテッソーリの教育ポイント③「教具」……45
・モンテッソーリの教育ポイント④子どもと親は同じ「実践者」……56
・子どもはやり方を知らない小さな「人」……57
・100年受け継がれるモンテ流「大人の心得」……59
・親としての「模範的な大人」とはどういうことか……60

第2章　「敏感期」を正しく知っておうちで生かす

・「敏感期」って、なんですか？……66
・「敏感期といえば集中。集中すると伸びる」から生まれる誤解……68
・敏感期には5つの種類がある……69
・敏感期は2つに分けて考える……70
・子どもの発達はすべてがつながっていく……72
・敏感期はどうやったら見つけられる？……74
・敏感期の見極めのカギになる「快動」……75
・子どものいたずらが増える時期って、敏感期？……77

・「育ってる、育ってる」と思いながら10秒待ってみる……78
・どうしたら、子どものやりたいことがわかる？……79
・子どもの「好き」がわかりません……86
・子どもの好きを見つけるヒントは「動詞」にあり……87
・うちの子、集中力がないけど大丈夫？……90
・ずっと座ってなにかしているけど、好きなのかわからない……92
・「自分で選ぶ」がすべての始まり……94
・ちょっとやってはすぐ別なことをしてしまう子どもには……96

第3章　「環境」を正しく知っておうちで生かす

・「環境」って、なんですか？……102
・ものや場所にこだわりすぎると、かえって悩みます……104
・モンテッソーリのいう「環境」の本質……105
・狭くてものが多い家でもモンテはできる？……108
・「子どもの時間と場所を守る」という考え方……110
・子どもが自分でしやすい環境とは……111
・「自立＝自分でできる」をゆっくり理解していく……113

使うものを全部揃える・まとめておくのはなぜ大事？ 114
説明と動作は別々に 116
環境を整えたのに、いつも途中でやめてしまう子には 118
親子だからこそ「全部ではなくて、なにか一つ」もおすすめ 119
子どものものを選ぶコツ 121
子ども専用のモノを用意する 123
「本物」を用意するときに大切なこと 124
せっかく用意しても子どもがしない、やめてしまうときは 126
「カンタンの集まりにしてみる」はすべての育児のコツ 127
「動きを分解する」って、どういうこと？ 128
うまく教えられなくてイライラする。どうすれば？ 129
子どもにカンペキを求めない 130
子どもにやってみせるときの5つのコツ 131
子どものしていることをマネしてみる 133
「うちの子、できないんです……」は、変えられる？ 134

第4章　「教具」を正しく知っておうちで生かす

・「教具」って、なんですか？ 138
・教具で「賢く」なるわけじゃない 140
・教具はあってもなくてもいい 141
・教具を与えてもやらない／すぐやめる／できないをどうする？ 142
・子どもの興味をどうやって見つけるか 143
・おうちモンテに教具がいらないのはなぜ？ 144
・教具を使わないかわりに、なにをしたらいいか 147
・子どもに「おしごと」をさせるにはどうすれば？ 148
・与えるモノより、親が与える影響に気をつけてみる 150
・「べき」を手放すためにはどうしたらいいか考えてみる 152
・教具がなくても「できる子」になる方法を知りたい 153
・体で覚えるときには、五感がカギ 155
・おうちモンテは「言葉＋体感」にこだわる 157
・習いごと、体験教室……たくさん通わせないとダメ？ 160
・秩序の敏感期は、世界を知る＆気持ちの安定に役立つ 162
・体で覚えたこと（体感）＋言葉が未来を決める 163

・働いている親でも、おうちモンテはできる？ 164
・保育園には「教育」がない？ 165

第5章 「集中」を正しく知っておうちで生かす

・「集中」って、なんですか？ 170
・集中してほしいのは、なんのため？ 172
・「全人格的成長」ってなんだろう？ 173
・育児に逆算思考は逆効果 174
・家で子どもにちゃんと「おしごと」をしてもらうには？ 175
・まず、子どもの興味を真ん中においてみる 176
・「ながら家事」に要注意 177
・子どもの好きなことを見つけてあげるには 179
・好きなことって、恋愛と一緒。ある日ふと気づくもの 180
・「意味ある体験」をするにはどうしたらいい？ 181
・子どもは、3年かけて知っていく 183
・季節のワークで毎年少しづつ、でも着実に 184
・モンテッソーリは「リアル」が大事。絵本は読まない？ 186

・家庭では、絵本を使って体感＋言葉を伝えていく……187
・おうちモンテにおける絵本の選び方……189
・子どもの発達に合った絵本の読み方……191
・絵本で体感？「モンテッソーリ的にする」って、どういうこと？……194

第6章　「ほめ方・しかり方」を正しく知っておうちで生かす

・「子どもを伸ばす＋自己肯定感を上げるほめ方・しかり方」って、なんですか？……198
・思春期でも話せる親子になりたい……200
・言われた人が嬉しいのがほめ言葉。だけど……201
・迷宮入りしやすいほめ言葉の3パターン……202
・大切なのは「なんのために言うのか」……204
・マニュアルに頼らないほめ方のコツ……204
・言葉はエネルギー。向きと大きさがある……205
・言葉の向かう「向き」とは……206
・かけられた言葉それぞれが意味を持つ……208
・事実しかほめないことの残念さ……209
・時代の変化に合わせ、ほめ方もアップデートを……210

・親世代にはなじみのないほめ言葉……212
・「あなたはこんな子」と決めつけたくない人のためのほめ方……213
・自己肯定感を上げるほめ方を知ろう……214
・「ほめ言葉貯金」という考え方……216
・自己肯定感アップにつながるほめ言葉を貯めていく……217
・過程をうまくほめられるようになるにための「観察」……218
おわりに……222

この本は、「モンテッソーリとは？」といった、モンテッソーリ教育の「説明」をする本ではなく、おうちでお母さんが自分仕様にアレンジして使いこなすことで、子どもとの時間をより楽しくしていくための本です。

モンテッソーリ教育を知っていても知らなくてもＯＫ！

「おうちモンテ」って、何ができるの？どういいの？

あなたの育児を変える８大メリットをご紹介します。

第０章

おうちゆるモンテッソーリの８大メリット

しつけ・教育・夫婦関係。まるごと全部モンテにお任せ！

モンテッソーリ教育って、いいらしいじゃない？

一度や二度、そう思われた方は多いと思います。でも近くにモンテッソーリ園がなかったり、お教室がなかったり、あるいは見学に行ってみたけど先生が気に入らなかったり……。いろんな理由であきらめる方がいます。

ならばせめて、家でできるかぎりモンテッソーリをしてみよう。と講座を受けてみたり、インターネットを見ながら教具を作ってみたものの、うまくできない方もいます。

本当のモンテッソーリは、教具やそのやり方の正しさでもなければ、ちょっとやってその場をしのぐものでもありません。親子の時間を彩《いろど》ってくれるものです。

この本は、おうちモンテッソーリをしようとして挫折した人が「これならできる！」と思える実践的な考え方やメソッド、そしてしつけ・教育・夫婦関係までよくなるセオリーが満載。ちょっと考えるところもありますが、AI時代に負けない子育てを、楽しく実践できる親子になります。

メリット1

おうちでできるモンテと、先生のモンテッソーリは違う！

この本は、「おうちでモンテッソーリ教育のエッセンスを最大限取り入れながら、親子で楽しく暮らしたい。毎日の暮らしの中で、子どもが賢くなったら最高！」と思っている親御さんのための本です。そのためのコツがぎゅっとつまっています。

そこで、はじめに知っておいてほしいことがあります。

それは、「先生が、先生としてモンテッソーリをするのと、親御さんがおうちでするのは全然違う」ということ。

先生は、道具が揃った施設で、訓練された先生として、子どもにかかわります。一方、親御さんは、朝起きて寝グセのついた頭で「おはよう」と言うところから、子どもと一緒に生活をしています。

卒業してお別れということもなく、親子はずっと親子です。だからこそ「教育」ではなく、暮らしの中で親子としての絆を深めながら子どもを伸ばすことが大切。

いかに親子一緒に豊かになっていくかがポイント。この本はそのためにできるおうちモンテッソーリを紹介しています。

メリット2

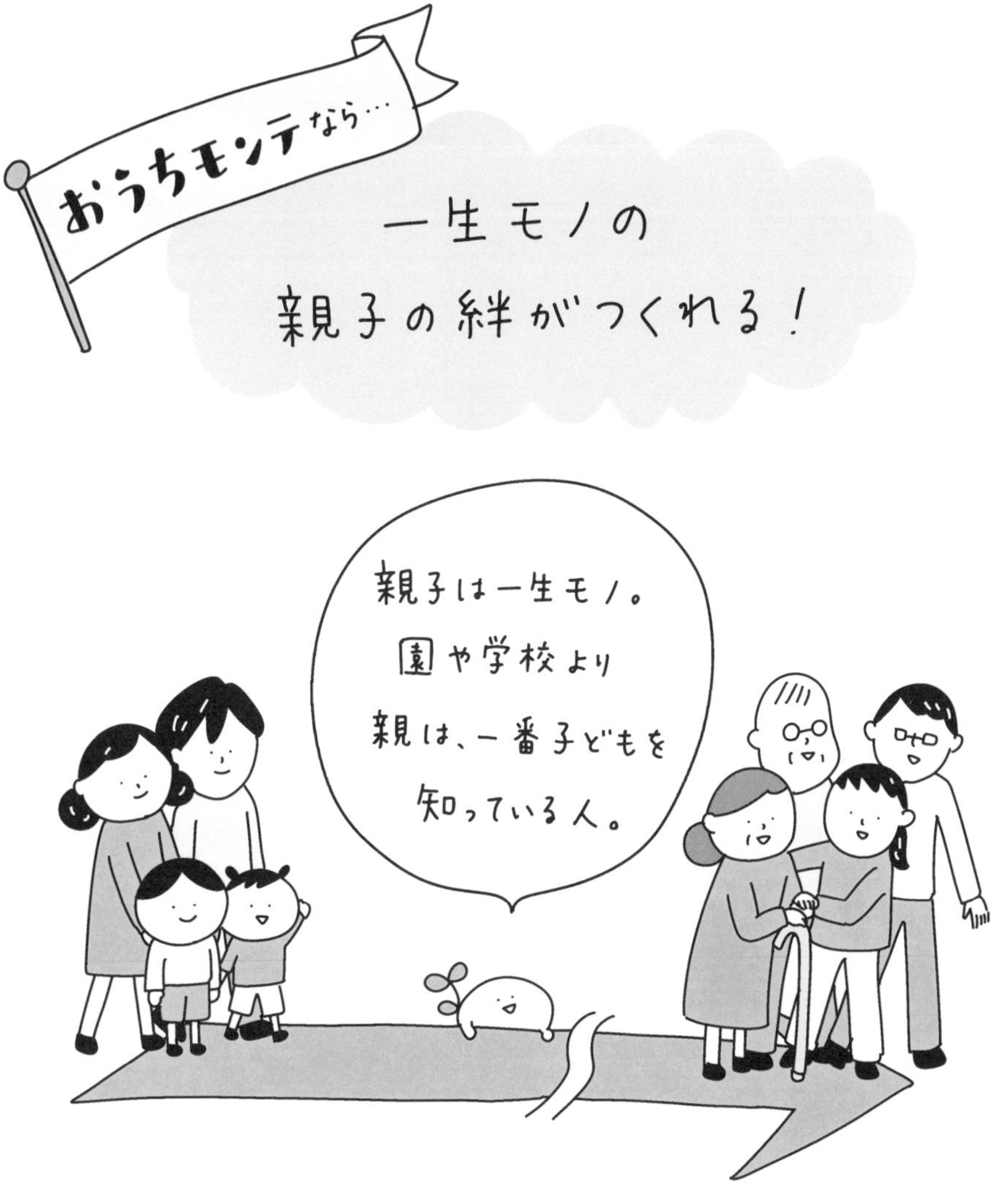

どんな時も子どものミカタ！自分らしい子育てが見つかります。

どんな親御さんでも「子どもを信じよう。子どものミカタでいよう」と思っているもの。

だけど、わが子が「ちゃんとしていない」と感じたり、親の言うことを聞かなかったりするとイライラしたり、ついきついことを言ってしまった……と嘆く方も同じくらい多いように思います。

子どもを信じるというのは、たとえば、子どもが他人の迷惑になることをしてもいいということでもなく、子どものミカタでいるために、怒らないということでもありません。

ものごとの善悪で子どもをジャッジするのではなく、子どものしたことと、その子の中にある想いを別々に、しっかり受け止めていくことが大事になってきます。

そして想い＝感情があるからこそ、私たちは、自分らしく生きることができます。

とくに子育ては親子でいろんな気持ちが動きます。だからこそ、自分と子どものスタンダードを一緒に作るチャンスがある。

ぜひこの本でそのコツをつかんでください。

メリット3

おうちモンテなら…
自分らしい育児で
賢い子が育つ!
子どもを
信じたいけど
「信じる」って
どういうこと…?
子どもの一番の
味方でありたい!
でも、人目が
気になる…
お悩み
解決!
「でも、どうやって?」がわかる!

10歳までの子どもの育ちは、木の根っこをしっかり作ること。

最近の幼児や小学生向けの習いごとの広告を見ていると、親御さんの不安をあおるものがとても多いように感じています。

でも、10歳までのお子さんに大事なのは、早期に何かを詰め込むように教えるのではなく、毎日の繰り返しから、子どもができることを増やしていくこと。会話をしながら、小さな変化を気づきにつなげていくことです。

実際、モンテッソーリ・ホームレッスンの講座では、多くのお母さんが、普通の毎日で子どもが賢くなっていくことがわかる。そのサポートができるのが嬉しいというお声をいただきます。

そしてなにか特別なことをしなくても小学受験や、中学受験で難関校に合格される方がたくさんいらっしゃいます。

10歳までに大事なのは、子どもの木の根っこを十分に育て広げてあげること。強い根っこを作ること。なにかができるという早期教育は、木の実のようなもので、根っこが弱い木に大きな実はなりません。この本では、その丈夫な根っこを作る大事な3つが分かります。

メリット4

おうちモンテなら…
子どもが賢い子に育つために
親がやるべきことがわかる！
将来性
育児の根っこに
なるのは
この3つ！
心の安定
集中した
経験
規則正しい
生活

求められる「賢さ」が、親世代と変わってもできます!

親御さんが子どもに何か教えようとすると、ときにご自身が覚えた効率の良さや、関連したことを一気に覚えさせたり、勉強のテクニックまで、子どもに伝えようとします。

そしてその結果、子どもが伸び悩むということがあります。

一方で、子どもたちに「考える」ことを教えたいと思っても、「どうして?」「どう思う?」という質問しか知らない方もたくさんいる。このどちらも、幼児から大学入試まで一貫して指摘される問題点です。

そしてこの、なにか知識をつめこんだり、できることに注目するだけのかかわり方、じつはとっても時代遅れなのです。

大学入試改革にともない、文部科学省の定める学力の定義が、親御さんの時代とまったく違うものになっています。

いま求められているのは、自分の知識を使って考えること。そして「自分の意見を持って、意見の違う人と一緒にやっていくこと」。ただ知識があるだけでは、将来安泰ではない時代になりました。

だからこそ、おうちモンテ。子どもの興味を見つけていかす。上手に使って、子どもを伸ばしてほしいのです。

メリット5

おうちモンテなら…

いまの時代に合った
モンテッソーリができる！

いまと昔では、
学力の定義が変わっています。

親世代 ＝ 協調性

言われたことをきちんとできる

↕

子どもたち ＝ 協働性

お互いの違いを認めて生かし合う

「子どもに今日、なにさせよう？」という義務感を捨てましょう。

「いろんなことを経験させなくては」と思って、あちこちに子どもを連れて行ったり、習いごとをたくさんさせては、親御さんご自身が「あー、疲れた」と思ったことはありませんか？

子どもは経験することで、なにかを学んだり、好奇心を伸ばしていく。それは本当にそうです。でも、その体験のしかたを勘違いされている方がとっても多いように思います。塾やお教室、あるいは子育て世代向けの広告もそれに拍車をかけています。

でも、やみくもになにかをたくさんするというのは、冷蔵庫にたくさんの野菜を詰め込んで、腐らせてしまうようなもの。

子ども達が経験したことを、知性や好奇心あるいは「優しさや思いやり」のような心を育むことにつなげるためには、一定のセオリーがあります。

そのカギになるのは、「毎日の生活と親子の会話」です。

おうちモンテにはその「当たり前の毎日」から、まるで魔法をかけるかのように子どもを伸ばすヒケツがつまっています。

メリット6

…ではなく、フツーの
毎日で、伸びる。

子育てしながら、夫婦仲もよくしていこう。

育児相談をする中で、ご夫婦の仲が悪かったり、パートナーシップを深めることをあきらめていて、本来ならパートナーに向けるべき愛情や情熱を子どもに向けてしまう方にお会いすることがあります。

その愛情を教育・子育てへの熱意というと聞こえがいいのですが、子どもたちにとっては、夫婦関係もまた、生涯のお手本になっていきます。

じつは、夫婦関係は、子どもができると「楽しい同居人」から、「家族をつくる」関係に変わっていきます。

それは意見が違ったら、どうするか。そもそもどんな家族になりたいかを話したり、ときにはイヤなことも含めて夫婦で向き合う必要があるということ。

モンテッソーリ教育では、「子どもは教えたことではなく、見せているもので育つ」と言われますが、子どもにとって、夫婦はジェンダーモデルとしてのほか、人間関係の見本にもなります。

おうちモンテをしていくと、「パートナーが○○だから……」と相手のせいにしないで対話をする解決法が見つかります。

メリット7

おうちモンテなら…
夫婦仲まで良くなる!
この人、なんでこんなことするんだろう…?
お互いの価値観が違うのはどうしてだろう…?
一緒に成長!!
その「なぜ?」が、わかってくる!

コスパ最強の子育てメソッド。それがおうちモンテッソーリ

子育ての成果ってなんでしょう? 子どもがいい大学に入ったら? いい会社に入ったら? いつも優等生だったらOK? あるいは結婚できたらOK、でしょうか?

正しい子育てをしたい。親が自分にしてくれたように育てたい。あるいは自分がされたようには育てたくない。いろいろな思いがあると思いますが、子育ては、親御さん自身が大人として、自分の人生を見直すチャンスでもあります。

たとえばキャリアやお金の使い方、住むところや付き合う人などについてあらためて考えるきっかけがたくさんあります。

自分にとってなにがベストか、なにが正しくて、快適か。あるいは幸せと思うのはどんなときかなど。そういう価値観は、そのまま子どもにも伝わります。いまがどうだからというより、子育てをしながらムリなく・ムダなく子どもと一緒に、新しい価値観を作ることだってできるのです。

おうちモンテッソーリは、お金をかけずに始められて、子どもとの時間が変わる効果絶大の子育てメソッドです。楽しいご報告をお待ちしています。

メリット8

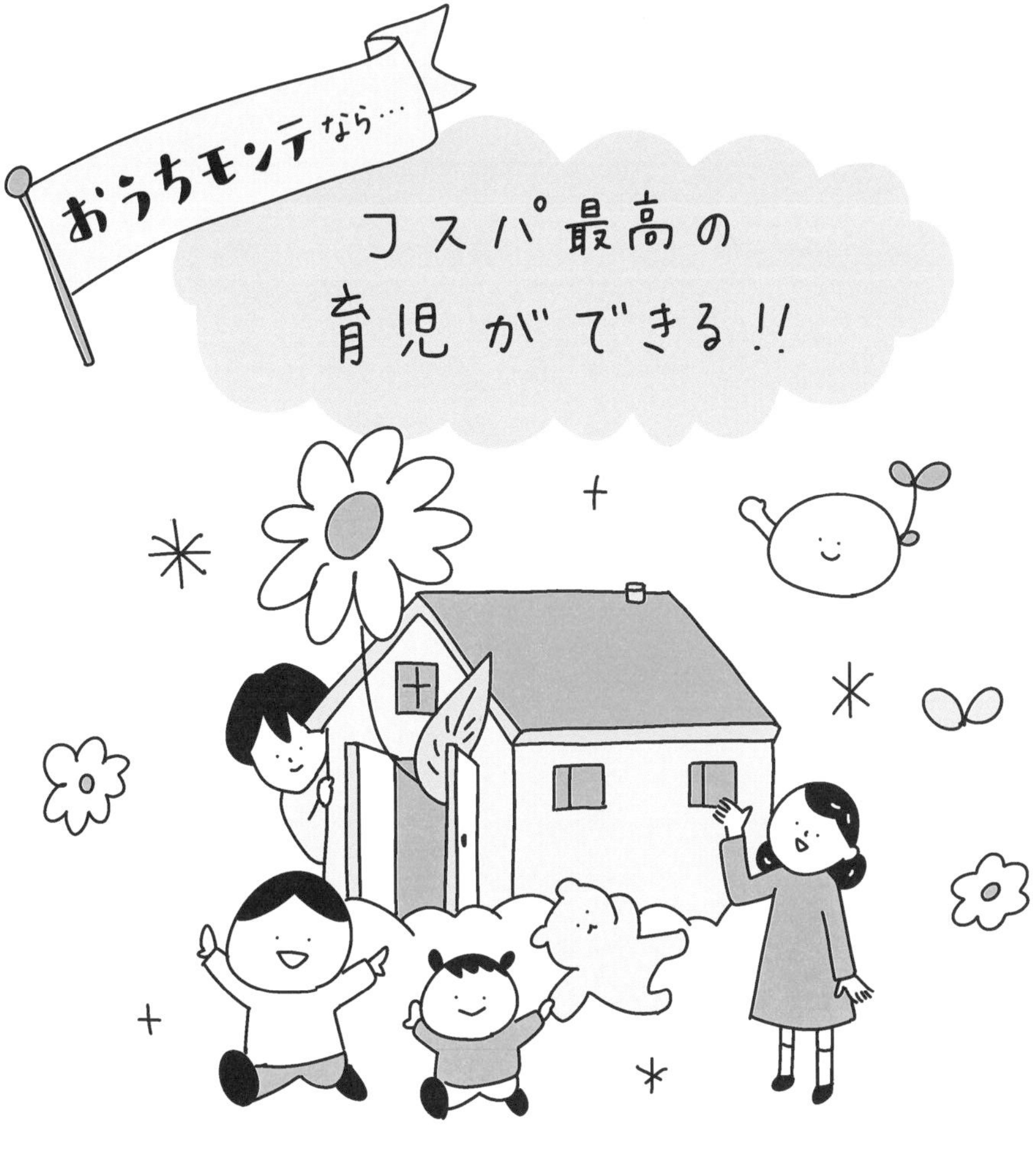
おうちモンテなら…
コスパ最高の
育児ができる!!

時間・お金・スキル
なくても大丈夫!

第1章では、「モンテッソーリ教育きほんのき」をご紹介。ともすると正しさばかり、複雑で情報過多になりがちな教育概論を、できるだけシンプルで使えるようにする考え方をご紹介します。

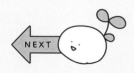

第１章

モンテッソーリ教育 きほんのき

モンテッソーリ教育といえば、この人

子どもは
体で
覚えていく
イタリアで
お札にも
なっている人
です

イタリアの女性医師 マリア・モンテッソーリ

「子どもの自立を育む」のがモンテッソーリ教育の本質

モンテッソーリ教育は、いまから１００年以上前の20世紀初め、イタリア・ローマの精神科医マリア・モンテッソーリさんが始めた教育法です。はじめは、貧困層の子どもたちを対象にした保育施設で発展していきました。

この、それまでになかった斬新でロジカルな教育法はあっという間にヨーロッパとアメリカに広まり、いまでは、AmazonやGoogleの創始者などが受けていたことから、「21世紀の創造的事業はモンテッソーリ教育が作った」などと評されています。

日本に入ってきたのは１９６０年代のこと。棋士の藤井聡太さんが幼少期に受けていたことで、この数年の間に広く知られるようになってきました。

モンテッソーリ教育で**着目するのは、「子どもの育つ力」**です。

子どもは、生まれてすぐのころから、そのとき**自分が「快い《こころよ》」と感じることを繰り返ししようとします。満足するまで繰り返すと落**

ここが大切！
この環境を整えてあげよう！
自分で選ぶ
くり返す
集中する
好きだから楽しい！

ち着き、その活動にチャレンジしたり、最後までやって「満たされた」と感じることで、自信を持ったり自立すると言われています。

この「快い、繰り返したいこと」は、大人から見ると、どうして何度もこんなことをするの？とか、一つのことに時間をかけすぎていて要領が悪いな……と感じることもありますが、「子どもにとって」は大事な行為や時間です。だから、しっかり大人がサポートする。幼児期のモンテッソーリ教育は、子どもが体を動かしながらていねいなステップを踏み、学ぶように体系化されています。

モンテッソーリの教育ポイント①「集中」
子どもにはやりたいことに集中し、自分で育つ力がある

マリアさんは施設で子どもたちを注意深く観察するうちに、「子どもは自分が選んでやりたいことしているとき、集中する」ことを発見します。

そして、集中すると**いい顔でいい子になる**ことから、「**子どもはもともと自分のやりたいことが自分でわかっていて、自分で自分を成長させることができる**のだ」と考えました。

おうちモンテのベストな環境って？
キーワードは「敏感期」！
やりたい！
に、大人も
（ムリのない範囲で）いいよ！
と、
言ってあげて、やってみせてあげられる環境。

集中することが成長のカギ。とはいえ、いまこの本を読んでいる皆さんも、子どもに「集中しなさい」と言っても思うようにいかず、ちょっとした徒労感を感じたことがあると思います。では、どうしたら子どもを集中させられるのでしょうか？

モンテッソーリ教育的に、大人にできることは次の2つだけです。

方法①「子どもがやりたいこと」を見つけられる環境を整える

方法②「子どもがやりたいこと」のやり方や道具の扱い方を、何度でもやってみせる

大人が直接的に**「集中させるために関わる」というよりは、もっとずっと、子どもたちが主役。**そして、どんなときでもこの2つのかかわり方を基本としています。

それはおうちモンテでも同じで、子どもが集中しないときは、「やり方がわからないか、今ここに興味を引くものがないのだな」と考えます。

モンテッソーリの教育ポイント②「敏感期」
子どもがやりたいことに熱中するのは、一定の期間だけ

「子どもがどんなときに集中するのか」を観察する中で、マリアさんは一つの傾向を発見します。

それは、**子どもたちが「特定のなにかをすることにやたらとこだわり、止めても繰り返すときがある」**こと。しかもそのこだわりは、ある一定の期間だけ続くことです。

モンテッソーリ教育では、この期間を「敏感期」といい、幼児期特有の子どもの姿としています。

時期が過ぎると、同じことをするにしても敏感期ほどの熱心さはなくなり、ほかのなにかに夢中になる姿が見られます。


モンテッソーリの教育ポイント③「教具」

やりたいことが繰り返しできる環境を教具で実現する

「子どもはなにかを繰り返すことで集中し、成長する。そして敏感

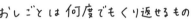

子どものやりたいこと＝「おしごと」

遊びはその時だけのもの

おしごとは何度でもくり返せるもの

期によく繰り返す」とわかったマリアさんは、子どもが繰り返しできるように、「教具」とよばれる道具を開発しました。

モンテッソーリ園などの教育施設では、この教具を使って、子どもが活動することを「おしごと」といいます。

教具の中には、いかにも「なにかを学ぶ」という感じのものもあれば、一見ただのおもちゃや生活用品に見えるものもあります。遊びやお手伝いとも言えそうな活動を、わざわざ「おしごと」と呼ぶのは、この教具に再現性があるからです。

もう少しくわしく説明すると、たとえば公園で遊んでいて、偶然なにかにハマったなどではなく、子どもの「したい」にいつでも応えられることが大切。**教具があることで、日付やシチュエーションが変わっても同じように活動ができる＝子どもが主体的に選んでできる**のが「おしごと」です。

私のすすめるおうちモンテでは「おしごと」とは言いませんが、**いつでも何度でもできるか、という再現性は大切に**しています。

一つの教具には一つの「できること」があります。そして、モン

おうちモンテ成功のコツは？
教具の使い方よりも
考え方を知ることを
大切にすると、うまくいく！
ここで
差がつき
ます！
MEMO

テッソーリ園などの施設では、子どもの発達と用途に合わせ、１００を超える教具が用意されています。

モンテッソーリの先生は、子ども一人ひとりの発達に合わせてその教具を紹介しますが、おうちモンテでは、教具は必要なく、**おうちにある日常のもので大丈夫。**

大事なのは、子どもがやりたいことを繰り返しできるようにすることです。

教具には、次の４つの特長があります。

特長①　間違いが自分でわかるしくみとしかけがある
特長②　具体物から抽象物へ進むようになっている
特長③　簡単なものから複雑なものへ進むようになっている
特長④　要素や概念の異なるものは別々にする

もし子どもがなにかをできないとき、子どもがダメなのではなく、この４つのうちのどれかが「そのときの」子どもに合っていないことがほとんどです。

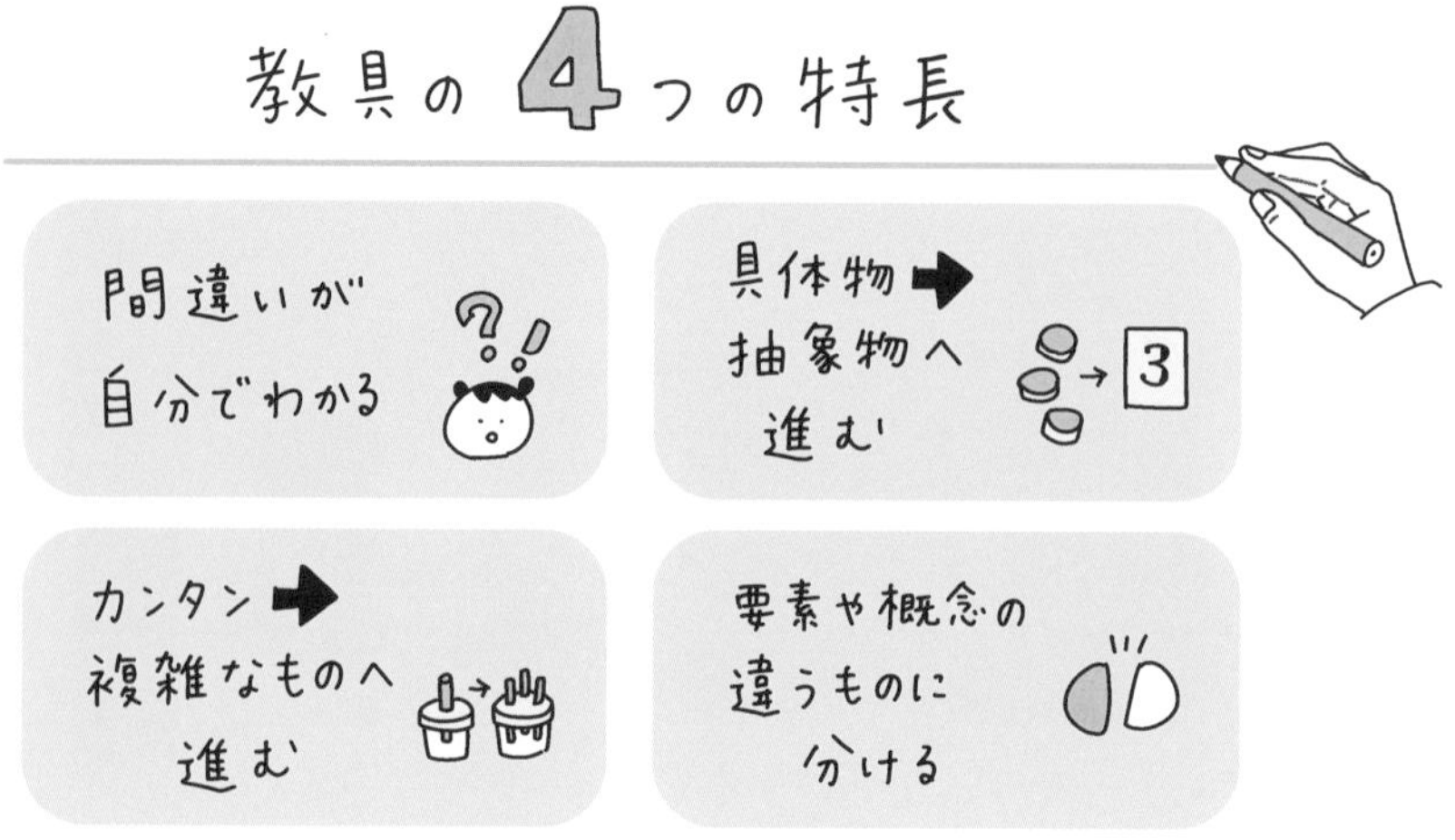
教具の4つの特長
間違いが自分でわかる
具体物➡抽象物へ進む
3
カンタン➡複雑なものへ進む
要素や概念の違うものに分ける

　モンテッソーリ教育でたくさんの道具があるのは、子どもの「いま」に応えるため。**おうちモンテの場合は、わが子のしたいことに合わせて、家にあるものでサポートします。**

　だから子どもと過ごすときは、教具を使う・使わないにかかわらず、上の4つの特徴を意識します。

　たとえば、**なにか具体的な物で見せられないかな？やったことのあることで、説明できないかな？ほかのもので代用できないかな？カンタンにするならどこだろう？など。**

　あるいは、大人が一度にいろいろなことを見せたり、伝えたりしていないかな？といった視点から見直してみる。大人がこの4つの視点を持つと、子どもも大人も一緒にすごしやすくなります。

　そう聞くと、「それって、なにをどうやって？」と具体的に知りたくなるところですが、育児をできるだけシンプルで効果的にしていくためには、ここを親御さんご自身が考えられるようにしてほしいと思っています。

　私の運営するオンラインサロンでは、こうした質問にもお答えし

ています。一人の親御さんのお話がほかの親御さんの気づきにもなり、具体的に考える視点も身につくので、SNSやネットで探すより力になる、というお話をいただきます。

一つひとつ、小さなことからクリアにしていくと、3か月～半年くらいで子どものしつけにも、知育にも困らなくなってきます。この本でも紹介していきますので、ぜひ、「ちょっと考えてみる」クセをつけてみてくださいね。

教具の特長① 間違いが自分でわかるしくみとしかけがある

たとえば、上のイラストは「円柱さし」という教具。太さや高さが少しづつ違う円柱を取り出し、ピッタリ合う穴に戻す教具です。一つでも大きさの合わない穴に円柱を戻すと、最後に入らない円柱が残るので、だれかに指摘されなくても、自分で「あれ？なんか違う」と気づくしくみになっています。

この「間違いが自分でわかるしくみ」があると、大人が子どもにダメ出しをする必要がありません。そして、子どもが自分で間違いに気づいてやり直すことは、自発性ややる気、違いに気づく力につ

子どもの学びは具体物から抽象物へと変わっていく

まずは、体で覚えるところから！
1257
+ 567
3022
− 124
1 2 3 4 5

ながっていきます。

モンテッソーリというと、まずはやってみせるとか、間違いを指摘しないといったことが言われがちですが、それはあくまで理想論。**おうちモンテのかかわり方で一番大切なのは、「子どものやることができるだけシンプルになるよう、まず親がものごとを分けて考え、子どもに伝えるクセをつける」ことです。**

一度にいろんなことをさせない。なにかを頼むときに「これをやってからあれをやって」というように詰め込まない。

「一度に一つのことだけをする」シンプルさを意識すると、子どもができる＆集中する環境を作りやすくなります。

教具の特長② 具体物から抽象物へ

そして、具体物を使う。ものごとを頭で覚える大人と違い、**0歳～10歳くらいまでの子どもたちは「カラダ」を使うことで体感し、覚えていく人だからです。**

たとえば、幼児に足し算を教えようとしても、いきなり1＋1は

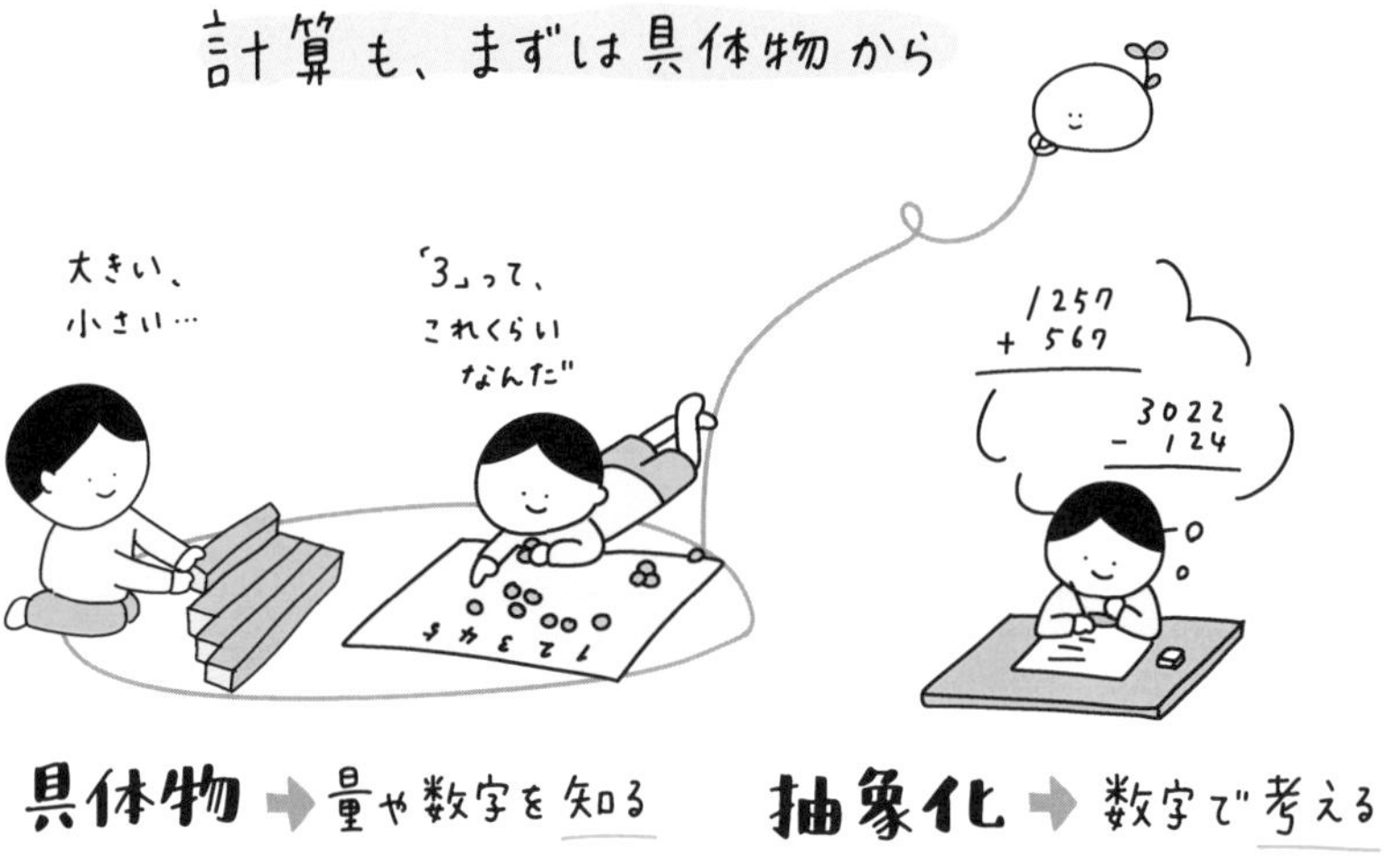
計算も、まずは具体物から
大きい、
小さい…
「3」って、
これくらい
なんだ
1 2 3 4 5
1257
+ 567
3022
− 124
具体物 ➡ 量や数字を知る
抽象化 ➡ 数字で考える

できませんよね。それは、子どもたちの中に数や量、数字の概念を表現する言葉や体験が「入っていない」からです。

幼児に1＋1＝2と記号を覚えさせるように教え、答えが合っているか大人が確かめることはカンタンです。ですが、それで子どもの知性が伸びることはありません。

モンテッソーリ教育では、たとえば数の概念を学ぶときには次のように2段階のステップを踏みます。

ステップ①「具体的な量・数の違い」がわかる教具を体験する
ステップ②抽象的に数字だけを扱う計算へ進む

つまり、概念を理解するためには、いきなり「1＋1＝2」といった抽象的なことをさせるよりも、「この量はこれくらいなんだ」という見た目や重さを体感することが大切ということ。

そして、その**体感を自分の言葉で表現する「経験」を積み重ねることで、やがて「知性」になっていきます。**

まずは具体物を使って体で体験する。だからこそ、教具は「具体物」から始まるようになっています。

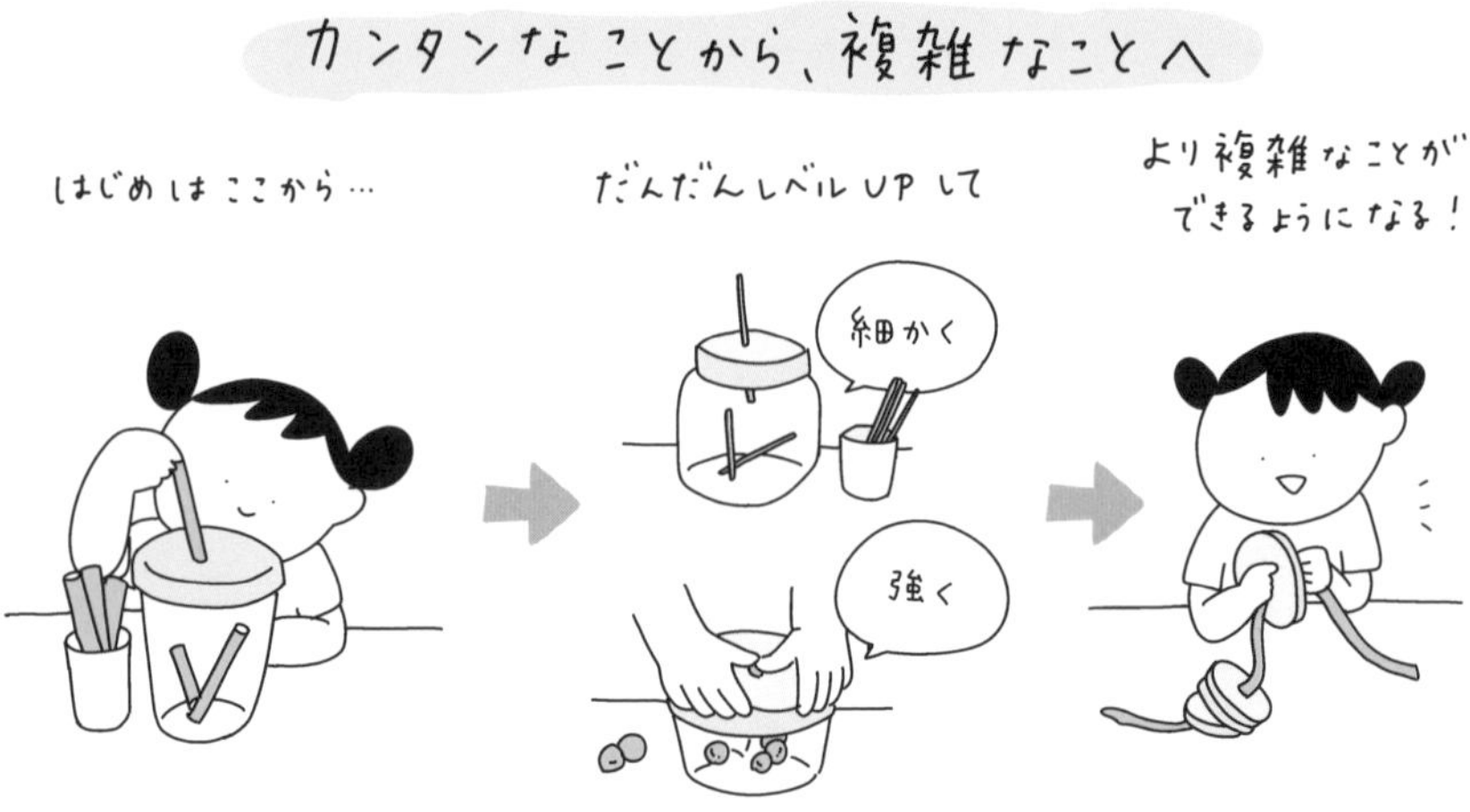
カンタンなことから、複雑なことへ
はじめはここから…
だんだんレベルUPして
細かく
強く
より複雑なことができるようになる！

子どもにできないことがあるとき、それはその子の知能＝頭の良さの問題ではなく、体験が足りないのだと考えます。

そこでおうちモンテでは、日々の暮らしの中で出てきた数や言葉、あるいはもののなりたちといった具体的な体験を、親子で会話することで概念にしていくのです。

だからこそ、そういう「具体的に」学ぶ経験をどれだけカンタンに「意識的に」していくかがカギ。カンタンだから続けられるし、続くから身につくのです。

私の伝えるおうちモンテで育ったお子さんが、とくにガリ勉しなくても受験に強いのは、親子で体験→概念化を無理なく続けられているからです。

教具の特長③簡単なものから複雑なものへ

泳ぎを学ぶとき、最初から足が着かない深さのプールで始めることはありませんよね。子どもの学びも同じで、いきなりむずかしいことから始めても意味がありません。

モンテッソーリ教育で使う教具も、**子どもの発達に合わせて「簡**

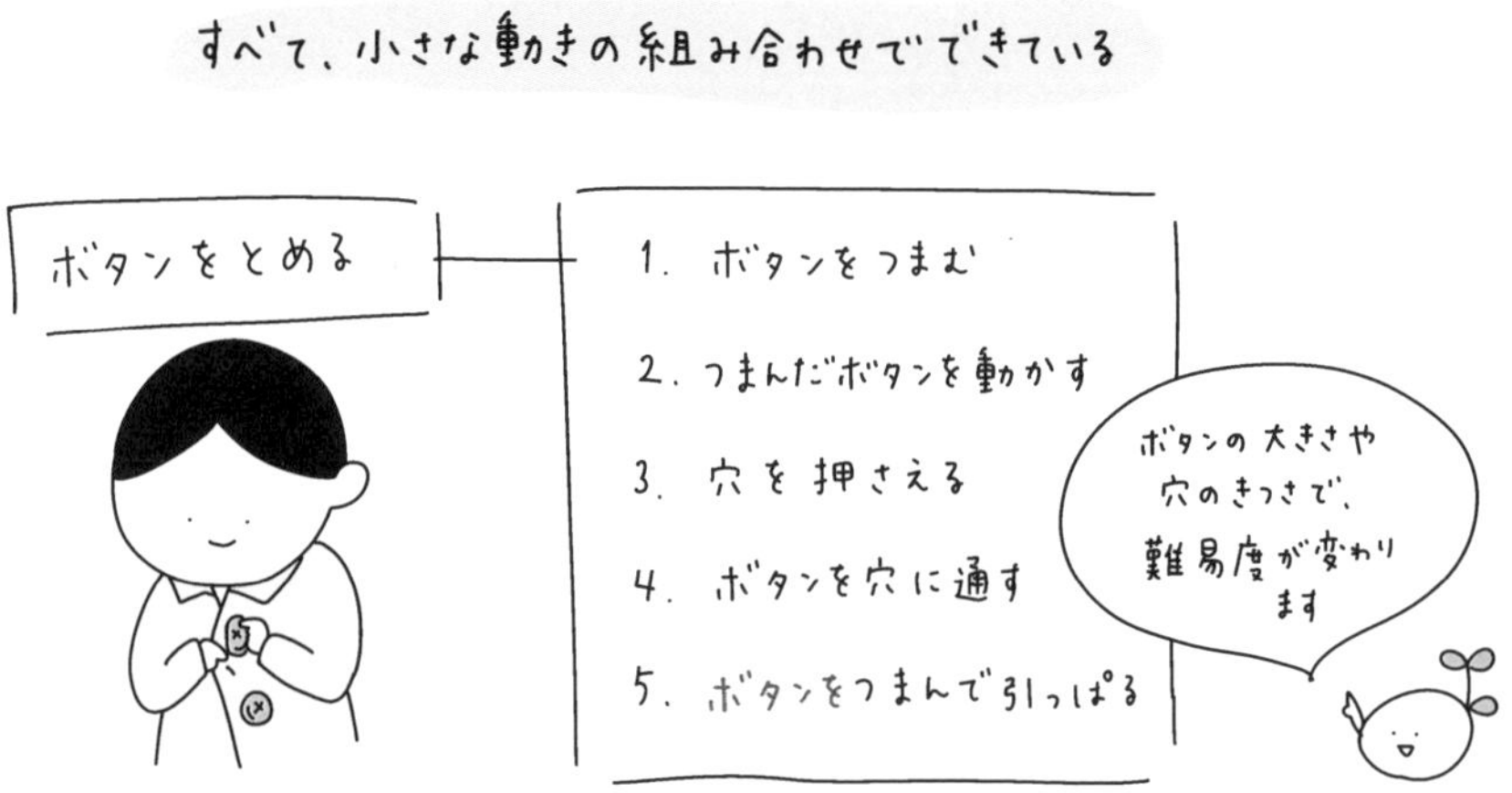
すべて、小さな動きの組み合わせでできている
ボタンをとめる
1. ボタンをつまむ
2. つまんだボタンを動かす
3. 穴を押さえる
4. ボタンを穴に通す
5. ボタンをつまんで引っぱる
ボタンの大きさや穴のきつさで、難易度が変わります

単なものから複雑なものに」という流れがあります。

これを「スモールステップ」といい、大人が子どもにかかわる＝なにかを教えるときの基本となります。おうちモンテでも、親が子どもとかかわる基本になる考え方です。

たとえば、右ページ左上のイラストは、「ストローさし」と呼ばれる教具。歩き始めた＝手を使うことをし始めた1歳半前後のお子さんが一番初めにやりたがることが多い教具の一つです。

小さな穴にストローを入れるだけのシンプルなものですが、これが十分にできるようになると、たいていの場合、真ん中の2つの道具を好んでするようになります。

真ん中の上のイラストは楊枝さしで、ストローより細いものであることがポイント。「より細かいものをつまめるようになりたい」という子どもの自然な欲求に応える教具です。

そして、下のイラストはビー玉を小さな穴に押し込むもの。指に力を込めることが必要なため、指の力がつく教具です。

このように**一つの活動は、次の活動につながっていきます。似たように見えても、少しずつ違う**ので、違う活動と考えます。幼児で

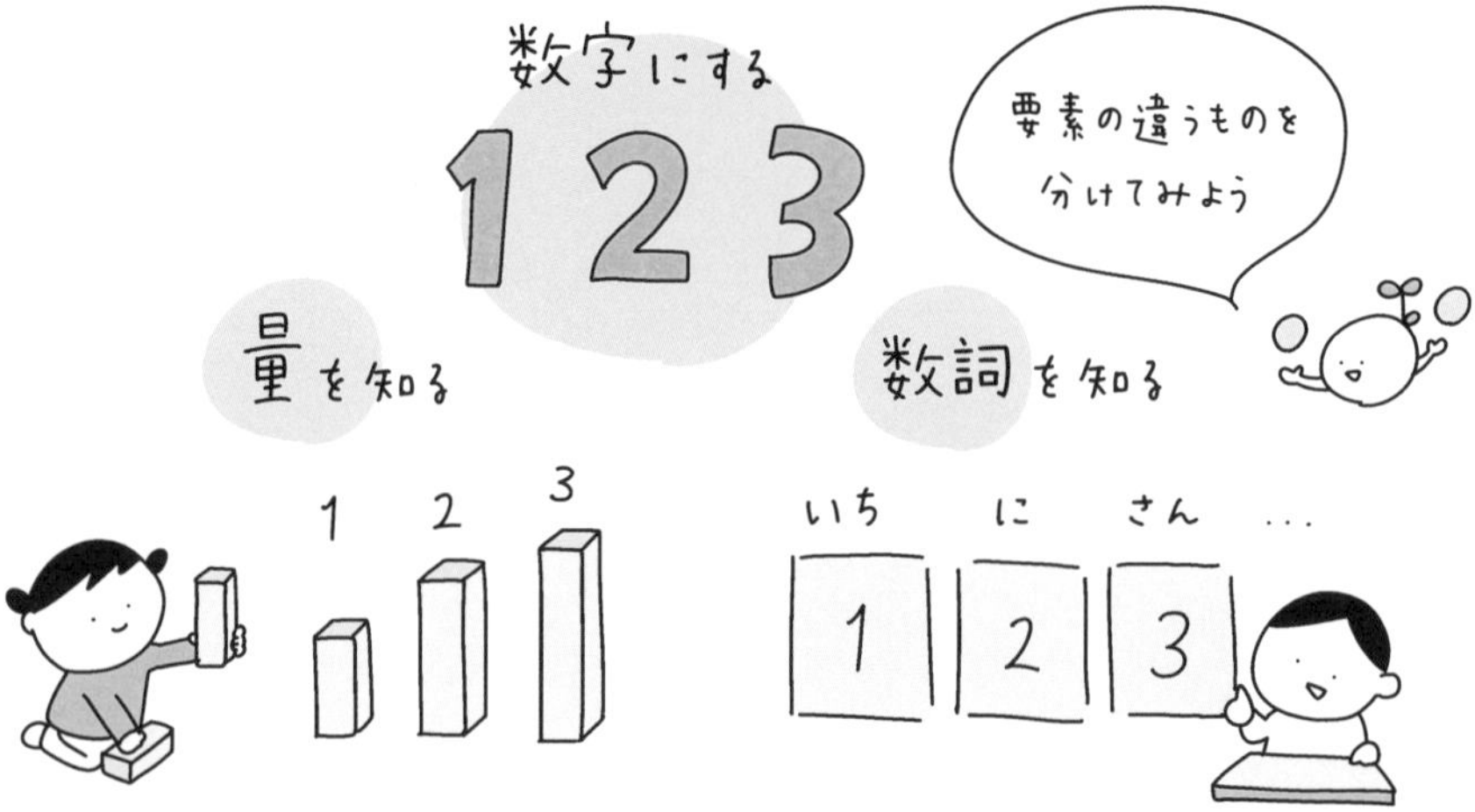
数字にする
123
要素の違うものを
分けてみよう
量を知る
数詞を知る
1
2
3
いち
に
さん
…
1
2
3

あれば、**より細かく、より強く、より長くできるようになることで、子どものできることが増えていきます。**

たとえば、自分でボタンをとめて洋服が着られるなど、子どもが**「自分で自分のことを満たせる」ようになっていきます。つまり、自立は、とても小さなステップの積み重ねなのです。**

私たち大人ができるサポートは、このスモールステップの小さな階段を無理のないように作ってあげること。そのために、子どもの使っているものを「その子に合うカンタンな作りになっているか？」という目で見るクセをつけてみてください。

教具の特長④ 要素や概念の異なるものは別々に伝える

最後のポイントは、とてもシンプルです。

- **一度に一つだけ伝える**
- **要素や概念の違うものは一緒にしない**

「できない」
じゃなくて
「知らない」だけ
あせらないで！
いち　に　さん…
1
2
3
ろくッ!!
6
とんでるー！
?

たとえば、子どもが1から50までの数を数えられたとしても、ぴったり50個のモノを出せるとはかぎりません。

あるいは手元のみかんが3個しかないのに「いーち、にー、さーん、しー、……」と数えていくのを見たことはありませんか？

こんなとき、数が合っていないことを指摘する親御さんが多いのですが、モンテッソーリでは、「考えるために必要な『量』感を体で理解していない（知らない状態）」と考えます。

私たち大人は、1個のみかんを指すとき、無意識のうちに1という「数字」、イチという「読み方（数詞）」、1に見合う「量」という3つの概念を、頭の中で操作しています。

この数字・数詞・数量という概念を一つひとつ、具体的にモノを使って理解していくことが、子どもにとっての知性の始まりになります。

だから、**おうちモンテでも、子どもに「ものごとを分けて伝える・教える」ことを意識してみる。**

たとえば、子どもになにかを教えたときに「？」という顔をされたり「できない」と言われたとき。あるいは、いつも同じところで

やり方を知らない
子どもは、小さな人
やりたい！
成長途中で
知らないことが
多いだけの、
大人と同じ
人なんです。
ここが大事！
ア〜!!
いつもやる気
たまには失敗もある

つまるときってありますよね。そんなときに、「いくつかの要素や概念が混じっているのでは？」と考えます。

いくつかあるなら、分ける。そして、**子どもに伝えるものは一度に一つだけ。**

初めは面倒に感じるかもしれませんが、慣れてくると、この方法が親にも子どもにも一番効果的ということがわかってきます。

モンテッソーリの教育ポイント④ 子どもと親は同じ「実践者」

ポイント③でお伝えしたように、モンテッソーリ教育の考え方はとてもシンプルな反面、ちょっとした親の準備も必要です。

コツをつかんで慣れてくるとどんどんラクになりますが、「教育とは子どもになにかを教え示すもの」という価値観の方は発想の転換が必要で、はじめは面倒に思われるかもしれません。

もしあなたがそういう方なら、「この子をベストな方法で伸ばしてあげたい」と思った初心を思い出してみてください。

子どもへの伝わりやすさを第一に考え、それを親子で体感してい

大人どうしでこんな扱いをされたら…？
全然足りてない！
教えてあげる！
やってあげる！
なんかヤダ….

子どもも、言わない（言えない）だけで、同じ気持ち。

くことは一見手間がかかるように見えて、子どもの考える力や心の育ちを大きく左右します。

親が「子どもにとっていい」と思うことを子どもに詰め込むのではなく、「子どもが持っている欲求を満たす」かかわり方を、シンプル&効果的にしていくのがモンテッソーリ教育。

親子時間を大切に、ちょっと会話をしながら続けるだけで伸びる子が育つのが、おうちモンテの最大のメリットです。

そこであらためてお伝えしたいのは、この「親子時間の作り方」と、かかわり方の根っこにある「親子の関係」です。

子どもはやり方を知らない小さな「人」

マリアさんは、子どものことを「やり方を知らない小さな人」と表現しました。つまり、**子どもは「できないのではなく、知らないだけ」。どんな子も、大人と対等で尊厳を持った一人の「人」**ということ。あなたもそう思って、目の前のお子さんを見てみると、どんな気持ちになりますか？

たとえば、次のような気持ちを持っているとしたら、それは尊厳

モンテ流・大人の心得 12か条

1 子どもに必要とされているときだけ、子どもとかかわりましょう。

2 子どものいるところでもいないところでも、子どもの悪口を言ってはいけません。

3 子どものよいところを見つけ、そこを強くしていきましょう。

ある一人の人に対して、敬意のある接し方と言えるでしょうか。

「できないから、してあげなくちゃ」

「できないから、教えてあげなくちゃ」

「できない＝足りていないから、与えてあげなくちゃ」

「どうしてそんな（ワタシが理解できない）ことをするの？」


親の方から熱心になにかを教えたり、してあげることは一見「いい親」に思えますが、それはときに子どもを「見下している」のと同じ意味になってしまうことがあります。


そして、子育てにおいて**親が過剰に「サービス」しすぎると、「やり方を知らないからできるようになりたい、知りたい」と思っている子どもの向上心を奪う**ことになります。

子どもの人生において、主役はその子自身。まして、子どもは自分で育つ力を持っています。だからこそ、大人のかかわりはシンプルな方がうまくいくのです。


自分で育つ力があるから「やりたい・できるようになりたい」と

モンテ流・大人の心得 12か条

4 ものの正しい扱い方を教え、それらがいつもどこに置いてあるかを示しましょう。

5 子どもが環境と交流を始めるまでは積極的にかかわり、交流が始まったら消極的になりましょう。

6 子どもの要求に対して、たとえそれができなくても、聞く耳はいつも持つようにしましょう。

思う。**子どもを「プライド」を持った一人の「人」として見る。**それが、モンテッソーリ教育の基本スタンスです。

100年受け継がれるモンテ流「大人の心得」

子どもを大人と同じ一人の尊厳ある人として接するために、モンテッソーリ教育には「**大人の心得12か条**」という行動指針があります。

この教えをひとことで言えば、「子どもに対して模範的な大人であれ」ということ。

「模範的であれ」などと言われると、まるで「先生になりなさい」と言われているようにも聞こえますが、私は、親が先生になるのはNGだと考えています。それでは、親も子どもも家でくつろげなくなってしまうからです。

ここでいう模範的とは、「自立した一人の人間として、自分らしく、**幸せだと感じている人**」であること。そのために、ときどき意識するといいことが2つあります。

モンテ流・大人の心得 12か条

7 子どもの誤りをいつも指摘して直させる必要はありませんが、子どもが子ども自身やほかの子を傷つけたり、危険があるときには、すぐにやめさせましょう。

8 子どもは何もしていないように見えても、何かを観察しているのかもしれません。そういう時には、あえて何かをやらせなくてもいいのです。

9 やりたいことを見つけられずに困っているときには、一緒に探したり、新しいものを見せてあげたりしましょう。

①親が一人の人として「自分が幸せであるために大切にしていること」に意識的であること

②①を子どもに伝えようとする姿勢

皆さんも、この「大人の心得12か条」を読んでみて、自分ならどうするか、一度じっくりと考えてみてください。

親としての「模範的な大人」とはどういうことか

親としての「模範的な大人」というのは、たとえば日々の生活でこんなことを意識して行うことです。

- **人とのかかわり方……夫婦ゲンカをしたら、子どもの目の前で仲直りする**
- **挨拶やマナー……大人からすすんで挨拶する**
- **ものを大事にする……出したらしまう、最後まで使う**
- **チャレンジ精神……苦手なものにもチャレンジする**

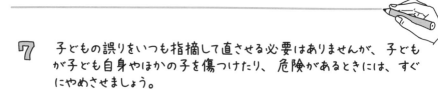

モンテ流・大人の心得　12か条

10　新しいもののやり方を（以前拒《こば》まれたことがあったとしても）、くり返しくり返し、忍耐強く見せるように心がけましょう。そのときは、言葉でなく動作を見せることに専念しましょう。

11　子どもを信じ、できるようになるのを待ってあげましょう。

12　子どもに接するときは、親の所有物としてではなく、一つの人格を持った人間として接しましょう。

・**人への配慮……ママ友が一人で輪に入れていないときには、声をかける**
・**幸せな姿……好きなことを思い切り楽しむ**

などなど。こんな小さな日々の親の姿勢が、そのまま子どもたちに伝わっていきます。ぜひ一度、ご自身が「これは模範的な大人だ！」と思う行動を考えてみる。できれば、書き出してみることをおすすめします。新たな発見があったりしますよ。

そしてもう一つ、模範的な大人であろうとしたときに、見直すと気づきが多くあるチェックポイントがあります。

それは、**「ついつい育児」チェック。**

そもそも親というものは、本能的にわが子に「ついつい」手を出したくなるものです。**手を出すこと自体が悪いのではなく、ついつい出しすぎるのが問題**なのです。

子どもに手をかける親は一見いい親に見えますが、それが行きすぎると、たとえば子どもが無気力になったり、大人の顔色を伺ったり、自己主張ができなくなるなど、ネグレクトを受けて育った子ど

子どもの　チャンスを奪う5つのついつい

1 ついついし、手を出してしまう

2 ついつい、口を出してしまう

3 ついつい、答えを教えてしまう

4 ついつい、時間を優先してしまう

5 ついつい、なんでも与えてしまう

もと同じ行動が見られると言われています。わが子のためによかれと思ってしたことが、逆効果になってしまうこともあるのです。

だからときどき、「ついつい育児チェック」！　そして「自分は自分の人生を楽しんでいる姿を子どもに見せているか？」を振り返ってみてください。

そうすることで、**日々クセになりがちな「ついつい」をリセットすることができます。**子育ては、ある日突然ガラッと変わることはありません。**おうちモンテのスモールステップと思って、大人もちょっとした気づきを重ねていってみてくださいね。**

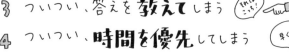

誕生
離乳
イヤイヤ期
園児・小学生
10歳の壁
反抗期
成人
入るな
親の関与度
← ベースをつくる大切な時期 →
親がかかわれる時間は実は少ない…

第1章では、モンテッソーリ教育のセオリーと、おうちモンテでの着眼ポイントをご紹介しました。多くのモンテッソーリの本では、ああするこうする。とたくさんの話が書かれていたりします。でも、そこに自分と子どもを当てはめるより、「自分たち親子にいま起きていること」から、なんだっけ？　と考えるようにしてみてくださいね。

次の第2章は、敏感期のお話です。敏感期は、親御さんが「わが子の敏感期がわからない」と焦ったり、「これは◯◯してあげるチャンス！」みたいに気持ちが上がったりするポイント。

でも、第1章でお話したように、子どもが「いま」なにをしたいんだっけ？　を見つけていくと、自然と子どもと一緒に進めるようになってきます。そんなコツをお話ししていきます。

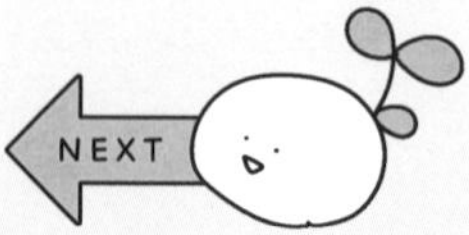

第2章

「敏感期」を正しく知って
おうちで生かす

「敏感期」って、なんですか？

モンテッソーリのいう「敏感期」とは、子どもが特定の行動にこだわり、大人が止めても止めても繰り返しする時期のこと。

たとえば、歩き始めたくらいの子どもが、止めても止めても、箱が空っぽになるまでティッシュを出し続ける。お散歩の途中で道路の白線や縁石の上を歩いたり、側溝の穴に小石を落とそうとしたりするなど。大人がどんなにやめさせようとしても、スキあらばチャレンジしようとします。

こうした子どもの行動は、善悪で判断できるものではなく、子どもが何かを得たい、発達したいと積極的になっている姿。そして実際、子どもが伸びるポイントでもあります。

「敏感期をうまく見つけて伸ばしてあげられたら、うちの子天才になるんじゃない？」と思ってしまう親御さんも多い、モンテッソーリ教育のキラーワード、「敏感期」。

それだけに、敏感期にまつわる誤解もたくさんあります。よくある誤解を「できるおうちモンテ」にしていきましょう。

親の「お悩みあるある」チェック

「敏感期」がわからない！

- □ なにが敏感期かわからない
- □ うちの子、なにが敏感期かわからない
- □ あれ？ と思っていると、すぐほかのことをする
- □ 集中しない。すぐや〜めた。とやめる
- □ ちょっとやって、すぐほかのことに目移りする
- □ お友達の○○くんはレゴがすごいのに、
うちの子は、そういう夢中がない
- □ うちの子、そもそも落ち着きなく歩き回る
- □ 親がどうぞと言ったことを、よくやる。素直だ
- □ あ、敏感期だと思ったけど、なにを用意していいのかわからない
- □ 敏感期！と思って用意したものを、子どもはやるべきだ
（せっかく用意したんだから）

大人が、「敏感期はこういうもの」
と思っている思い込みをはずすと、
子どもがよく見えてきます。

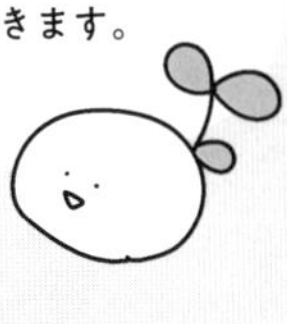

「敏感期といえば集中。集中すると伸びる」から生まれる誤解

親御さんが「敏感期であれこれ悩む」とき、それは**「なにを敏感期と見るか」がズレている**ことが原因のことがほとんどです。

たとえば、親御さん自身が「敏感期とはこういう活動をすること」という先入観で子どもを見てしまう。そして、数を数えたり絵本を読むなど、「表面的に勉強らしく見えるもの」を探しがちです。

また、子どもが日々の生活でしていることからではなく、「興味を持って集中する姿はこうあるべき」という「大人の思う理想的な姿」を子どもに追い求めているときもあります。

でも、**まずは「子どもから発信されているもの」**がリアルな**敏感期のヒント。本当の敏感期の姿を知ることは、「子どもの興味・発達がいまどんなところにあるのか」を知ることにつながります。**

それがわかったら、あとは子どもをサポートするだけ。

おうちモンテでは、目の前のお子さんをしっかり「観る」方法が

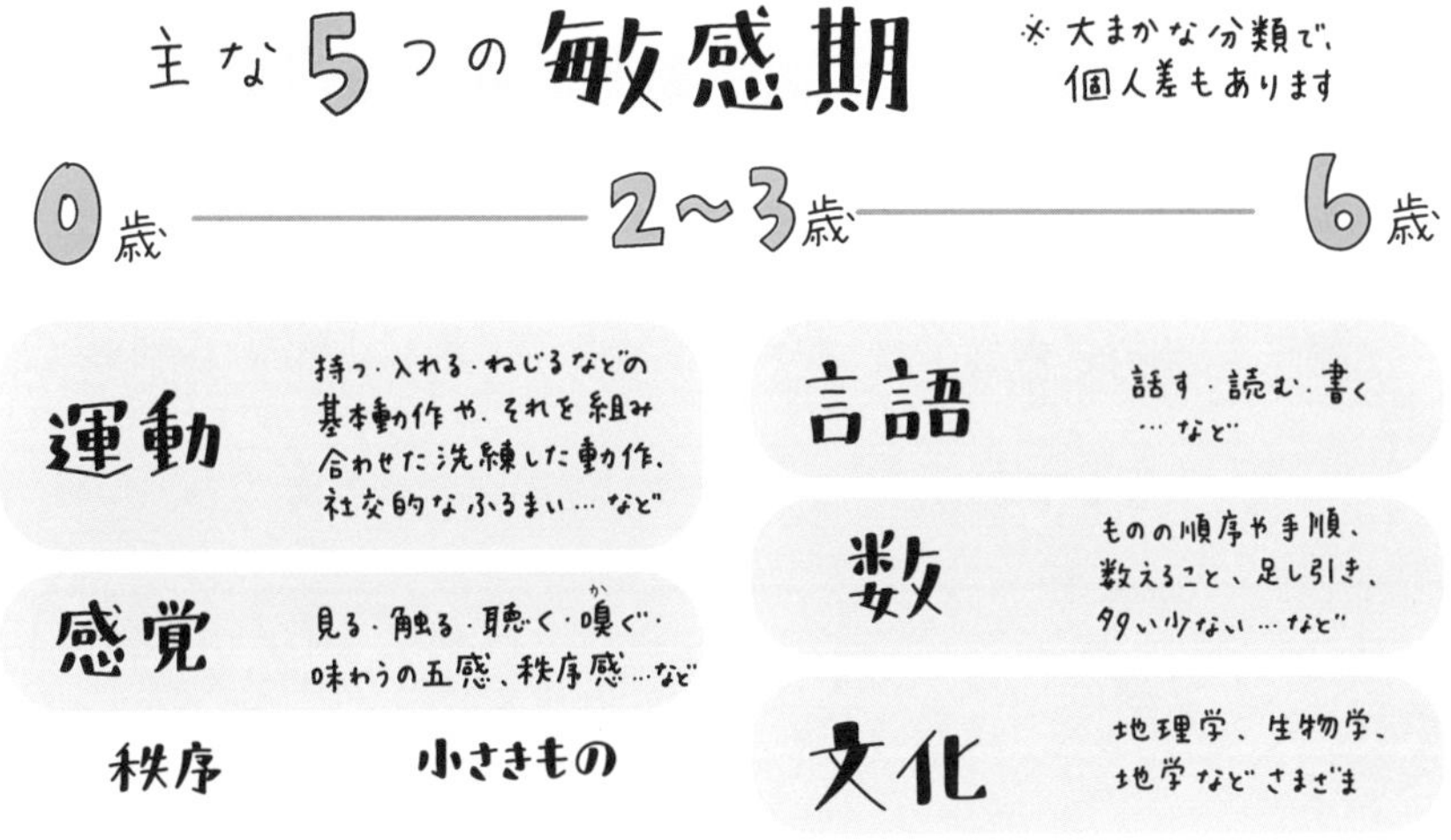
主な5つの敏感期
※大まかな分類で、個人差もあります
0歳
2〜3歳
6歳
運動
持つ・入れる・ねじるなどの基本動作や、それを組み合わせた洗練した動作、社交的なふるまい…など
感覚
見る・触る・聴く・嗅《か》ぐ・味わうの五感、秩序感…など
秩序
小さきもの
言語
話す・読む・書く…など
数
ものの順序や手順、数えること、足し引き、多い少ない…など
文化
地理学、生物学、地学などさまざま

身につくと、敏感期への思い込みがガラリと変わります。まずは、これだけ知っておけば大丈夫！というセオリーからお話ししていきます。

敏感期には5つの種類がある

敏感期は、大きく分けて5つあります。その中でも特に大事なのが、0歳から3歳の間に訪れる次の2つの敏感期です。

- **運動の敏感期……自分の体を自由に動かせるように取り組む時期。日常生活や身のまわりのことに興味を持ちます。**
- **感覚の敏感期……体を動かし、五感（視覚・嗅覚・味覚・触覚・聴覚）で感じることに意識を向けている時期。**

この2つの敏感期が大切なのは、子どもが自分のことを自分でするベース＝体をつくる時期だからです。同時に、体で感じたことで自分のまわりの世界を知っていきます。

言語や数、自分のまわりの世界＝文化に対して興味を持つ敏感期

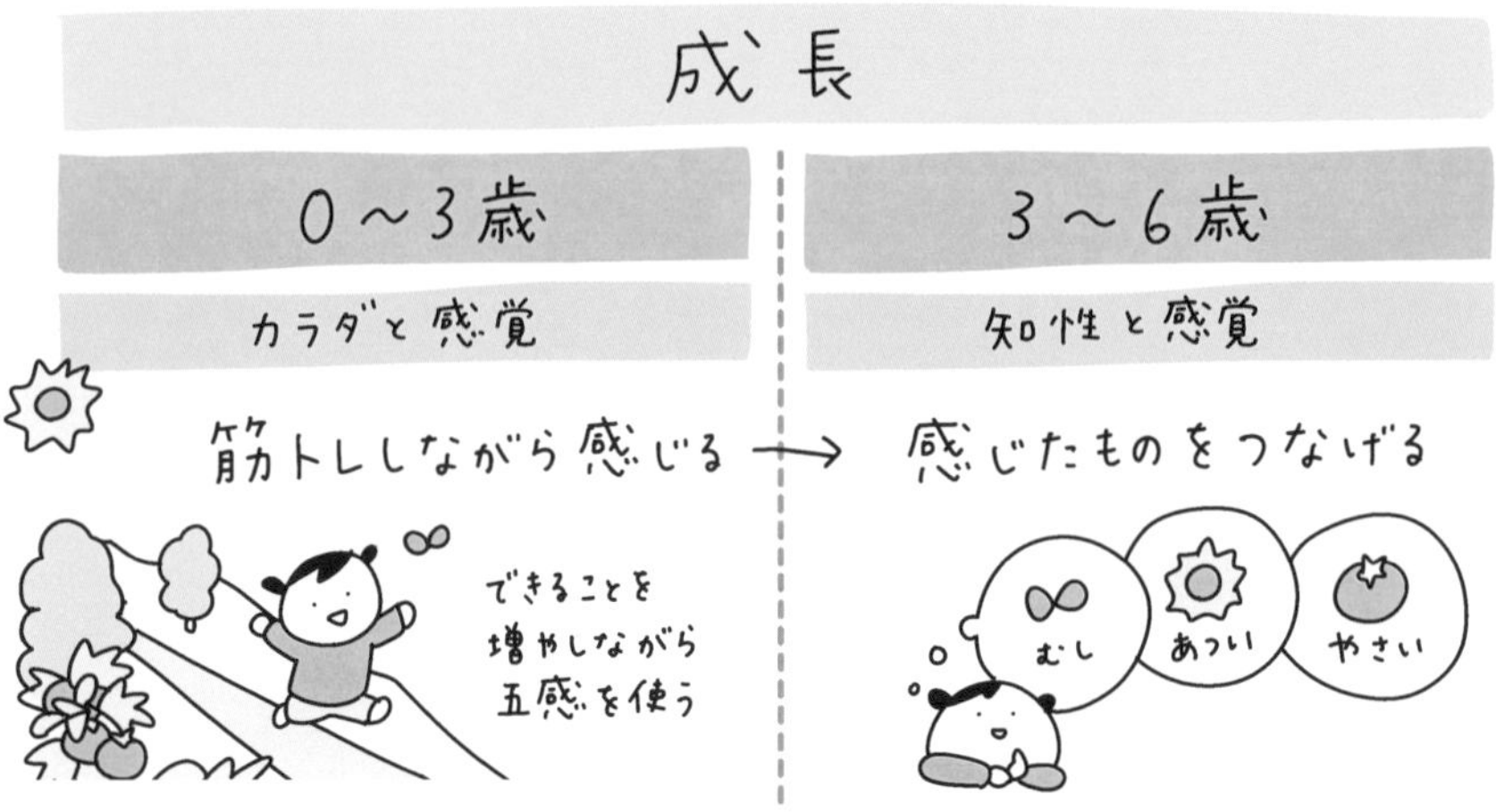
成長
0〜3歳
カラダと感覚
3〜6歳
知性と感覚
筋トレしながら感じる
感じたものをつなげる
できることを
増やしながら
五感を使う
むし
あつい
やさい

がその後に続きます。**知性より「体で知る」の方が先**なのです。

そしてもう一つ知ってほしいのは、「敏感期に特定のものごとに集中したからといって、その分野が突出してできるようになるとはかぎらない」ということ。

子どもの才能は毎日の積み重ね、つまり日々の生活から生まれていくものです。運動と感覚の2つの敏感期は、そのベースになります。ここをおろそかにして、「できる／知っている」だけに目を向けるのはとてももったいない。

敏感期は2つに分けて考える

ここでもし「才能が日々の生活から生まれるって、どういうこと？」と思われたら、敏感期を子どもの年齢で大きく2つに分けて考えてみてください。

- **0〜3歳……自分の体を自由に動かすために「筋トレ」し、五感でいろいろなことを感じる時期**
- **3〜6歳……体を動かし、五感で感じたことを仲間分けや順番な**

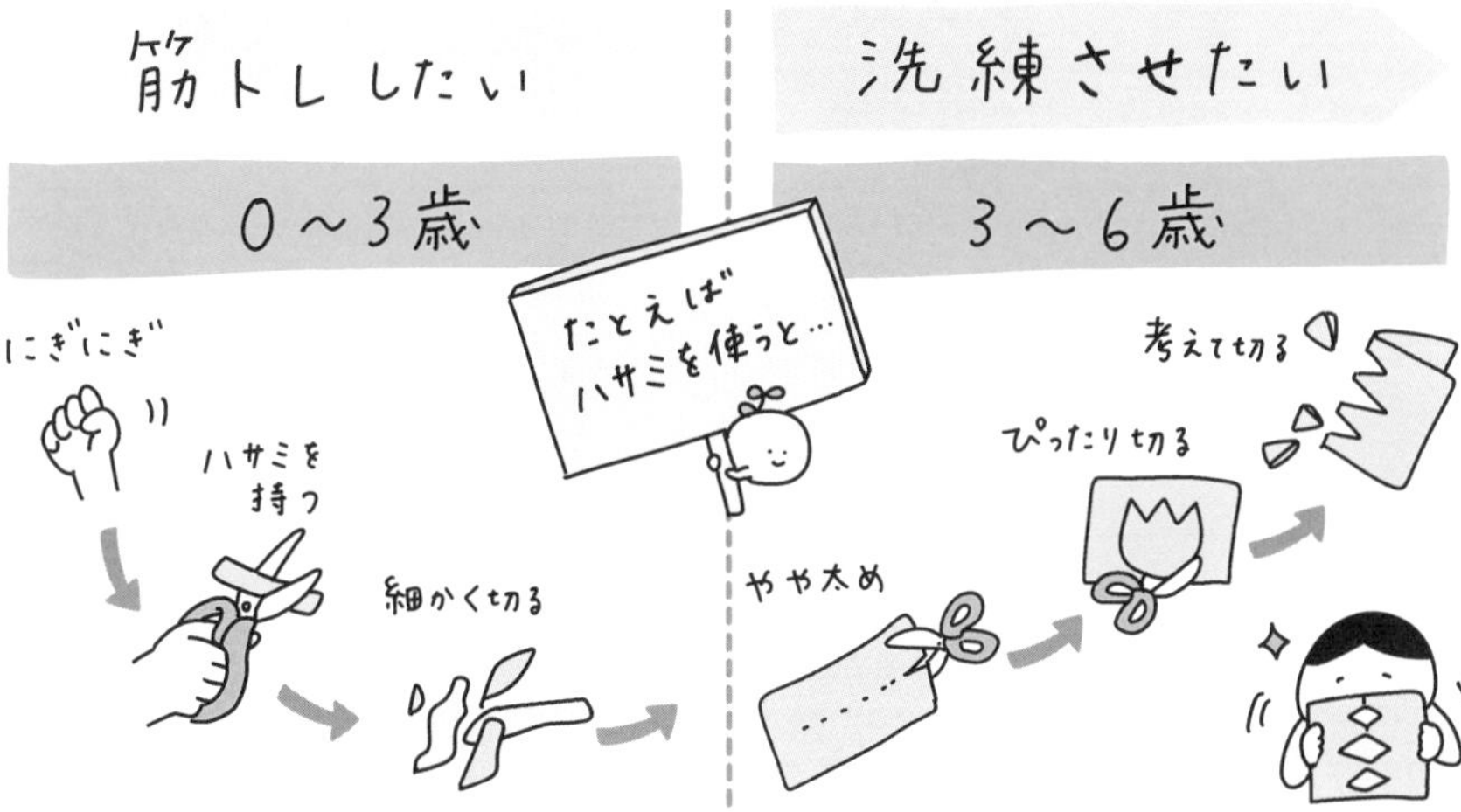
筋トレしたい
洗練させたい
0～3歳
3～6歳
たとえば
ハサミを使うと…
にぎにぎ
ハサミを
持つ
細かく切る
やや太め
ぴったり切る
考えて切る

どの法則で考えてみる＝知性に変える時期

0～3歳の成長をひとことで言うなら「筋トレ」です。寝返りもできない状態から、自分でトイレに行けるようになるくらい、つまり、自分の体を思い通りに動かし、自分で生理的な欲求を満たせるようになる成長をしていきます。

体を使うと、五感を使います。「見て、聞いて、触って、嗅いで、味わう」経験から、子どもは自分の世界を広げていきます。だから「3歳までの子どもは五感で大きくなる」のです。子どもにいろいろな経験をさせてあげようといわれるのも、「五感で体感すること」が大切だからです。

ここで大人ができる**一番のサポートは、日常の生活で子どもが自分でやりたいということを、十分できるようにすることです。**それが、子どもの「自分でできる」になります。

そして**だいたい3歳以降、**自分の体を思うように動かせるようになると、**子どもたちは「体の動きを洗練させていく」ことにシフト**していきます。

将来、大きな木に！
五感を大切に使っていこう！
ひとつずつ自分でやることで、太く、強い根っこがつくられる

同時に、今度は頭の中で、それまでにため込んできた五感の感覚の整理にエネルギーを使うようになります。これが、モンテッソーリ教育の言語、数、文化の敏感期に合う活動や、一般的には「知育」と呼ばれるものにつながっていきます。

まず体を使って五感で体感する。その経験が十分にあってこそ、3歳をすぎて子どもは知育的な活動に進んでいくことができるのです。

子どもの発達はすべてがつながっていく

0〜3歳までの筋トレと、五感で感じた経験が多ければ多いほど、3歳以降の知的活動も豊かになります。それはつまり、子どもが自分で考え、伸びるためのリソースがたくさんあるということです。

いまの時代の幼児教育、特に習いごとでは「早い時期からなにかを身につけさせることが大事」という風潮がありますよね。親としては、「できるだけ効率的にさせたい、伸ばしたい」と思う気持ちもわかりますが、「急がば回れ」。**子どもの「根っこ」をしっかり伸ばしていく**ことの方が、ずっと大切です。

親は、
先生には
ならなくていい！
いいことも
悪いことも、一緒に
受け止める存在に。

コロナ禍で学校へタブレットの導入が進むなど、学びの内容や学び方に変化はあっても、子どもの根っこ、つまり「成長の本質的なことそのもの」は、いまも昔も変わりません。

そして多くの場合、なにかを詰め込むように教えられた子どもよりも、日常の中でのんびり、ていねいな活動を重ねた子どもの方が伸びることを見ても、まず体と五感を使う大切さがあると思います。

もしあなたがわが子を効率的かつ最大限に伸ばしたいと願うのなら、あれこれ忙しく習いごとをしたり、知育教材を買い集めるよりも、**日々同じような生活リズムの中で子どもの時間とスペースを守ることや、「子どもがいまなにをしているか」に気持ちを向けて生活すること**をおすすめします。

そうしたすごし方は、のちのち必ず効果を発揮します。

すでにお気づきかもしれませんが、子どもを育てることは、ときに仕事とは真逆の価値観が求められるもの。

大人が効率重視で仕事をこなしていくことは、子どもとの時間を

次は……
これは どうかな？
なにをしても いいところ
埋めるのではなく、"間"をつくることが大切です
これ、もう少しやりたい
ずかん

作るためにはプラスになります。でも、子どもの育ちに効率や効果的な方法を求めることは、かえってマイナスに。

仕事ができる親御さんほど、子どもにも「短期間にできるだけたくさん」詰め込みたくなるものですが、**「親が子どもを伸ばしてあげるためにすべきこと」ではなく、「子どもがやりたいこと」だけをするくらいに割り切る勇気を持ってほしい**と思います。

敏感期はどうやったら見つけられる？

ホームレッスンでの合言葉は、**「敏感期を見つけたかったら、快動《かいどう》を探せ！」**です。

モンテッソーリ教育といえば敏感期！と考える方も多く、「敏感期＝知的な活動」というイメージもあるせいか、ＳＮＳには、「〇〇の敏感期にはコレ！」という投稿もたくさんあります。でも、敏感期がわからないというご相談はとても多いです。

子どもの敏感期がわからないのは、次のどちらかの場合がほとんど。そして、熱心に調べる方ほどわからないようです。

詰め込むより、観察しよう
なんか、気がつくといつもやっているな…
敏感期は、子どもから発信されるもの。

- **敏感期をイメージだけで考えている**
- **敏感期に子どもを合わせようとしている**

「なんか違う……」「なんか思い通りにいかない……」そんな気持ちになったら、カン違いの沼にはまり込んでいるサイン。

ここで思い出してほしいのが、「子どもは自分自身で成長できる＝子どもの興味から始まる」という言葉。**大人にできることは、目の前の子どもをよく見ることしかない**のです。その中で、「この子はなにがやりたいのかな？」から考えるコツをご紹介します。

敏感期の見極めのカギになる「快動」

それは、**敏感期というざっくりした概念ではなく、「子どもの『快動』を探す」という目で子どもたちを見ること。**

私のモンテッソーリ講座でお伝えしている中でも、ほとんどの親御さんに納得してもらえる敏感期のとらえ方です。

敏感期は
子どもに
とって
快《こころよ》い動き
になっているかが
見きわめポイント。
「したくて
たまらない！」
って感じ
真剣だったり
夢中に
なったり
くり返したり

快動とは私の先生の造語ですが、**「子ども自身が心地よく感じて活動している状態」**のこと。

子どもの目線から考えると、なにかに夢中になっている子どもは必ず「快い状態」にあります。快感というほどでなくても、無心になるほどの快さを感じているもの。

だからこそ何度も繰り返したり、ニコニコ笑っていたり、目が真剣だったり。小さい子は、よだれが出ていても気づかなかったりします。それくらい、「夢中」という見え方がわかりやすい状態です。

「いまあなたがしていることは『快』ですか？」という目で子どもの姿を見ていくと、快動の姿はたくさん見つかります。

そして、この快動を見つけることは、日々の生活の中でするからこそ意味があります。**特別な教具や、「モンテッソーリのお部屋」みたいな、気張った場所は必要ありません。ただ、毎日のなにげない生活の中で子どもたちを見ていくだけで大丈夫！**

敏感期を
見つけるマインド
時間が
かかりすぎだけど
けど
を、ちょっと
ガマンする！
へえ～！
それが
楽しいんだ
待つのも
大変だけど
片づけたい
けど

子どものいたずらが増える時期って、敏感期？

そもそも、あなたにとっての「いたずら」って、なんでしょう？

敏感期は、子どもが「いまの自分を満たすこと」をしたい時期です。そこには、その子の成長への本能的な欲求があります。

でも、子どもは「自分はこれからこう伸びたいから、こういう活動をします」なんて教えてくれませんよね。

とくに家庭の場合は、教育施設での活動のように、場所や時間の明確な区切りがあるわけでもありません。

そしてここが悩ましいところですが、幼児期の子どもがすることの中には、大人から見て手間がかかったり、人目が気になったり、それこそ「いたずらか？」と思うような、大人にとって都合の悪いこともたくさん起こります。

だからといって、**子どもをいきなり制したり、声をかけてしまうのはもったいない。**そこで、「あ！」と思って子どもを制したくなっ

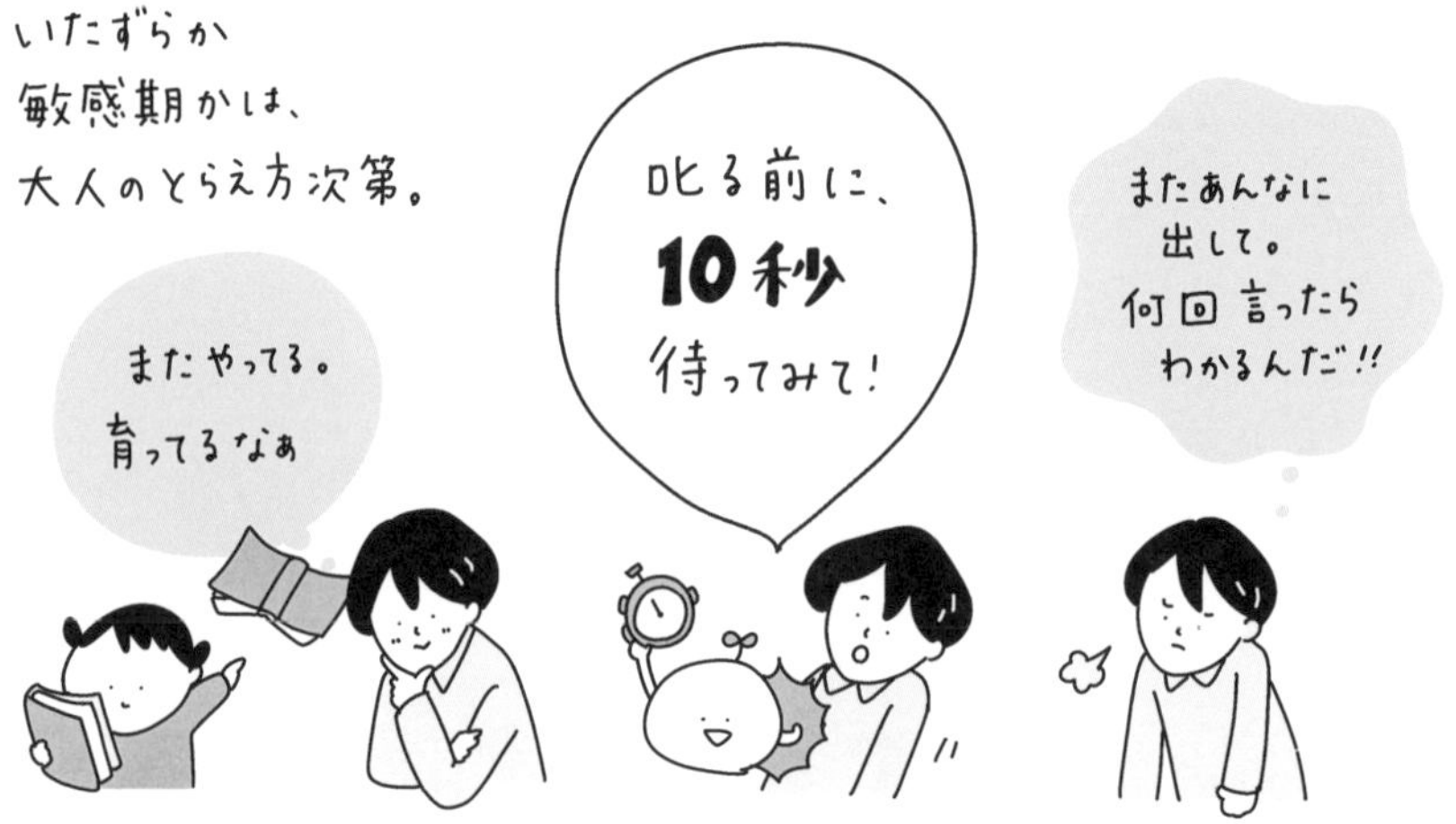
いたずらか
敏感期かは、
大人のとらえ方次第。
叱る前に、
10秒
待ってみて！
またあんなに
出して。
何回言ったら
わかるんだ!!
またやってる。
育ってるなぁ

たときに有効な回避策を、２つお教えします。

「育ってる、育ってる」と思いながら10秒待ってみる

子どもの行動に、ちょっと！と思ったとき、やってみることはシンプルです。

それは、**子どもに声をかける前に、「育ってる、育ってる」と思いながら10秒だけ待ってみること**。私はそれを「10秒ワーク」と呼んでいます。

この行動は、感情的になって子どもをしかったり、子どもの活動を止めてしまうのを防いでくれることはもちろん、いちいち「〇〇の敏感期」といったラベルをつけなくても、子どもが「なにかをしようとしている」姿をただ見つめ、待つようになる効果があります。

そして、実践されたお母さま方から「子どもを見る世界が変わった」という報告をたくさんいただくワークです。

じつは、親はなにかと無自覚に、子どもの空間に踏み込みます。たとえば、晩ごはんのあと片づけが終わると「さあ、お風呂に入って～」

と、シンクから振り向きざまに子どもに声をかけるなど、日々のルーティンの号令が当たり前になっていませんか？

でも、キッチンで親御さんがあと片づけをしていた間、自分で遊んでいた子どもにも、自分の時間と場所（空間）があったのです。**いきなり声をかけることは、子どもの「空間」に無断でズカズカ入っていくのと同じ**ことになります。

「ほんの10秒」でいいのです。10秒待つことは、あなたを一人の人として認めているよ、という「敬意のメッセージ」になります。そしてその10秒を意識することで、自然と子ども自身に目が行くようになります。

すると「ああ、この子はこういう子なんだな」という発見もしやすくなると同時に、「自分はこの子のことがわかっている」という心の余裕も生まれてきます。

どうしたら、子どものやりたいことがわかる？

本当に大事なことなので繰り返しますが、子どもは、体を使って

10秒待つと見えてくる

敏感期を見つけるポイント

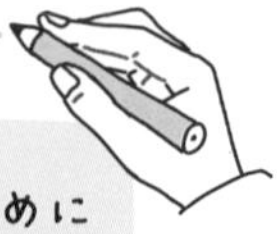

カラダのどこを使っている？	どんなものを使っている？	どう動かしている？	誰のためにしている？
肩・腕・足・指など それをするために必要な体の部位	色・形、大きさなど	**動き方** つかむ ひねる つまむ 押す…など **扱い方** 比べる 分ける 並べる…など	自分のため 家族のため 友だちのため…など

大きくなる人たちです。つい忘れてしまいがちですが、子どもの学びには、**必ず体の動きがセットになっています。**

だから、子どものやりたいことを知りたいときには、いましていることをとにかく「観る」こと。**それも、「どんなものを、どんなふうに体を動かして、どうしているのか」という視点で観る**のがポイント。ときには親も体で理解するために、子どもと同じ動作をしてみることもおすすめです。

モンテッソーリ教育では「子どもを観察する」という表現を使いますが、親御さんが子どもを観察するというとき、単に目に入ってくるものを見て「観察している」と言う方が多くいらっしゃいます。**観察とは、本当に動きをじっくり、じっくり、「観る」のです。**

観ることで、子どもへの接し方が変わります。

たとえば、教育施設でのモンテッソーリは、教具も場所も全部子どものためだけのもの。でも、おうちモンテの実践は、生活する場所です。子どもに触ってほしくないものや、いてほしくない場所もありますよね。

そんなとき子どもの観察ができたら、代わりになるものや、「ここ

場所やモノを変えればOKなことを見つける

ここでどうぞ
ここではしない！

ならしてもいいよ」という場所を用意できます。**「どんなものをどう動かして、どうしているのか」という視点**で子どもを観ていくと、ぐんと用意しやすくなります。

そこで次のページから、実際の10秒ワークのコツと活用法をご紹介します。

WORK1は、「ただ10秒待つ」タイミングや、言葉に頼らないコミュニケーションのコツ。WORK2は、「快動＝敏感期」を見つける子どもの見つめ方。WORK3と4では、敏感期をどう見つけ、サポートするか、考え方のヒントになりますよ。

WORK 1

10秒ワーク

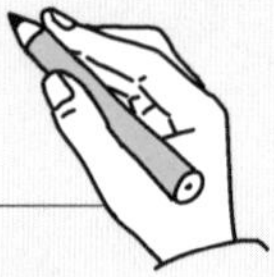

「子どもに声をかける前に10秒間待ってから声をかける」にチャレンジします。少なくとも、1日1回以上2週間くらい続けると、効果を実感します。

・たとえば、ご飯の支度が終わって遊んでいる子どもに声をかけるときなど、自分の用事が終わって、さあ次は！みたいな時がおすすめタイミングです。多くの場合、子どもの姿を見るよりも先に声を出していると思います。あるいは、子どもがなにかをしているとき、思わず「こうしたら」と言いそうになるときも、このワークをするタイミングです。

・待っている10秒の間は「子どもがなにをしているのか」を見ます。その間は、こちらから手を出したり話しかけたりはしません。

・そして、見ている間に自分がなにか思ったり感じたりすることがあれば、「私がなにを思っているのか」「なにを感じているのか」もそのまま感じます。

・10秒の間にもし、「あっ！」と思うようなことがあっても声をかけず、必要があれば必要なことをします。「必要がある」というのは、たとえば水をこぼしそうになった時などにコップをおさえるなどです。この時も声はかけません。また、このようにコップをおさえるなど緊急の対応をして子どもから反応があった場合、ただ微笑み返すなど、言葉に頼らずにコミュニケーションします。

WORK 2

「なにをしているのか」をとらえる

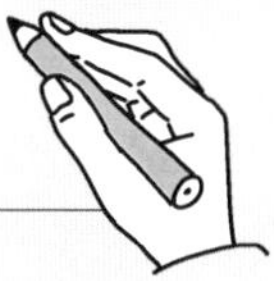

WORK 1に慣れてきたら、次のような記録をつけてみます（ご用意いただいたノート、スマホやPCでの記録でもかまいません。あとで見返せることが大切です）。

お子さんがその日にしていることを、「ただ観察して、記録として、やっていることの事実を」書きます。一日1回5分程度「観察して」書いてみます。「気がついたらとにかくメモする」などもおすすめです。たくさん書くほど、お子さんの敏感期（快動）が見つけやすくなります。

たとえば、こんなカンジです。

・8か月　座ってお尻をぴょんぴょんバウンドさせている。唇をブルブルして音を出している

・4歳　紙にシールを貼っている。大小を組み合わせて、花の形を作っている。どんどん横に広げて、たくさんのシールを貼っている。「お花畑」と言いながら持ってきて「春のお花で、お花たちはあったかいの」と言った。

・7歳　寝転んで歴史の本を読んでいる。読み終わったら、どうして武田軍は強いのか？ 3つあると聞かれた。（私は2つしか答えられなかった）

＊お子さんが0～4歳までの方は、お子さんがその活動をしているときに、体のどこをどのように使っているのかも考えます。写真を撮るのもいいと思います。その場合は、体を使っているところを意識して撮ります。

WORK 3

敏感期・快動を見つけてみる

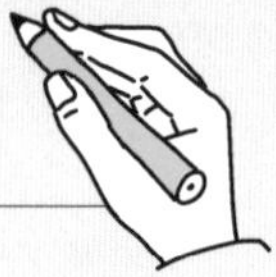

WORK2が終わったら、書いてあることにもう一度目を通します。

お子さんがその２週間の間に「何度かやっていること」に注目します。

はじめは箇条書きでもいいので、書き出してみることもおすすめです。

「なにをしているか」より、「どんな動きをしているか」がポイントです。

たとえば、「お財布をいじって中身を出し、ごみ箱に入れた」

→「ファスナーを３本指でつまんで開けて、カードをつまんで出し、

箱に入れた」　というように捉えます。

＊「事実として」書いている中にも主観が混じることがあります。

たとえば、「お財布をいじって」という表現には、ほんの少しマイナスの主観が含まれています。敏感期や快動を見つけるときには、できるだけフラットな表現にしていくこともコツの１つです。

WORK4

子どもにできる援助を考える

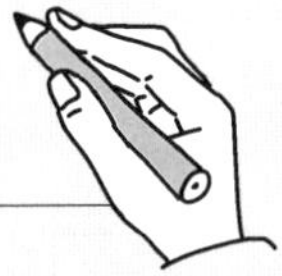

いよいよ、子どもにできるサポートを考えます。

WORK3で書き出した内容からできること・モノを考えます。

たとえば、

「ファスナーを開けて、カードをつまんで出し、箱に入れる」

→「ファスナーを開けて、薄い紙をつまんで出し→穴に入れる」

ここまで来ると、子どもの敏感期を見つけるのも、

それに合わせた代替品を探してあげることもしやすくなります。

観察というのは意外にしっかり「観る」必要があることが

おわかりいただけるでしょうか？

繰り返すことで、だんだん早く、

上手に子どものサポートができるようになります。

夢中になってること、伸ばさないと…
親は、「好き」があってもなくても、悩みがち。
夢中になれるもの、見つけないと…
ぼー

子どもの「好き」がわかりません

子どもの「いま好き」を見つけるもっとも確実な方法は、10秒待って、なにをしているのかをじっくり見ること。それが「観察」。

すると、次の悩みがやってきます。

それは「いま、夢中になっていることはわかるようになってきた。でも、その好きをもっと伸ばす方法がわからない」というもの。


たとえば、ご飯よりもレゴが好きだとか、砂場でいつもすごいお城を作っているなど、子どもがずっとしている「好き」がある。

それがむずかしそうだったり、親の目から見て見栄えのいいものだったりすると、つい「もっと先に進んでもらうために親ができることってないの？」と気がせいてしまったり、もっと勉強になりそうなものってないの？という欲が出てきます。


また、いまの時代の風潮で、子どもになにか夢中になれるものがないといけない、と思い込んでしまう「好きや得意を見つけないと

「好き」は、
動詞にすると
見つけやすい。
そおっ…
ぴしっ
よーく
観察して
みて！
×
本が好き
○
本をきれいに詰むのが好き

いけない病」にかかっている親御さんが多いと感じています。

「好きがわからない」は、親御さん自身も同じ悩みを抱えているケースがほとんど。「自分にはそういうものがないから、子どもには見つけてほしい」と思っている方も多いのです。

子どもの好きを見つけるヒントは「動詞」にあり

「子どもの好きを見つける」は、大人の世界で言うなら「好きを仕事にする」という表現に似ています。

小さいころ、「好きなことを仕事に」と言われても、好きなことがどんな職業につながるのかわかんない！と思ったことはありませんか？

本当は、**好きなことを仕事にするときに大切なのは、職業名ではありません。子どもの夢中も同じで、わかりやすいものとはかぎりません。**「〇〇するのが好き」ではなく、「〇〇の□□（している状態）が好き」といった、「動詞になる部分が好き」ということも多くあります。

絵を
似せて
描く
図鑑を見て
形を覚える
さかな
先生の動きを
まねて動く
特徴を
つかむのが
好き？

つまり、○○することの先にある、子どもの感覚がポイント。日頃それを見つけるようにしていると、子どもの好きや得意なことがだんだんわかるようになってきます。

たとえば、たくさんのピースがある複雑なジグソーパズルにハマっているお子さんがいたとします。「好きなことを応援してあげたい」と、親はさらにピースの多いパズルを買うようになります。ところがある日、突然子どもがパズルに見向きもしなくなり、親が右往左往する。そんなケースがよくあるのです。

レゴなどのブロックも同じ。作り直すことがなかったり、いつも同じものを作っていると、親はだんだん「これはなんの知育になるんだろう……？」とモヤモヤする方がたくさんいます。

こういうとき、おうちモンテでは「その子はジグソーパズルを完成させることが好きなのではなく、パズルをする中に好きななにかがあり、その行為に満足した」と考えます。ブームが去った、みたいな感じです。それから「パズルのなにが好きなのだろう？」と考

動詞で考えると、
ほかの「好き」も
見えてきます。
お皿を
等間隔に並べる
ナルホド！
きれいに
揃えるのが
好き…?!
パズルを
カチッとはめる
本を
ぴったり並べる

えます。

そもそもパズルは、ピースの形や完成の見本を見ながら、形や図柄を合わせるもの。ここには見たり、選んだり、はめたり、あるいはあれこれ向きを変えたりなど、いろんな動きが含まれています。

ここで考えるべきは、レゴが脳トレのように図形問題が得意になる、空間認識力が発達するといった知育につながるのか？ということではなく、**「子どもはレゴをすることで、どんな動作や体感を満たそうとしているのか？」**ということです。

レゴを見本通りに「完成させる」ことが好きな子もいれば、パーツとパーツを「カチッとはめる瞬間」が好きな子、でき上がりの形が見えてくるまでの「過程」が楽しい子もいます。

そういう目で見ていくと、ほかのことをしていても、なにかを完成させることが好きなのか、完成までの過程のどこかを好むのかなど、その子が持つ傾向＝その子らしさもわかってきます。

「対象を『どうする』のが楽しいのか」という「動詞」に着目できるようになると、子どもの夢中が見えてくるようになります。

Q. これ、集中してる？ していない？

座って何かしている
ずっと同じことをしている
すぐやめて散らかす

A. どれも、集中していることもあれば、していないこともある。

うちの子、集中力がないけど大丈夫？

さて、ここでは、モンテッソーリにおける「集中」に関する誤解を解いていきたいと思います。

敏感期と集中は、切っても切れない関係です。マリアさんが敏感期を発見したのは、子どもがなにかを夢中になってし続ける＝集中する姿からでした。

私がお会いする中でも、「敏感期さえ見つかれば集中する」と思っている親御さんも多く、「集中してほしいから、敏感期を知りたい」という方もいます。そして、少しでも子どもが落ちつかないように見えると、「集中してない」とか、「集中する時間が短い」と悩んでしまう方がたくさんいます。

でも、悩む必要はありません。**集中とは、「なにかを『休むことなく』『立ち歩くことなく』し続けること」ばかりではない**からです。

大人はつい、時間の長さや「熱心に見える」取り組み姿勢で集中

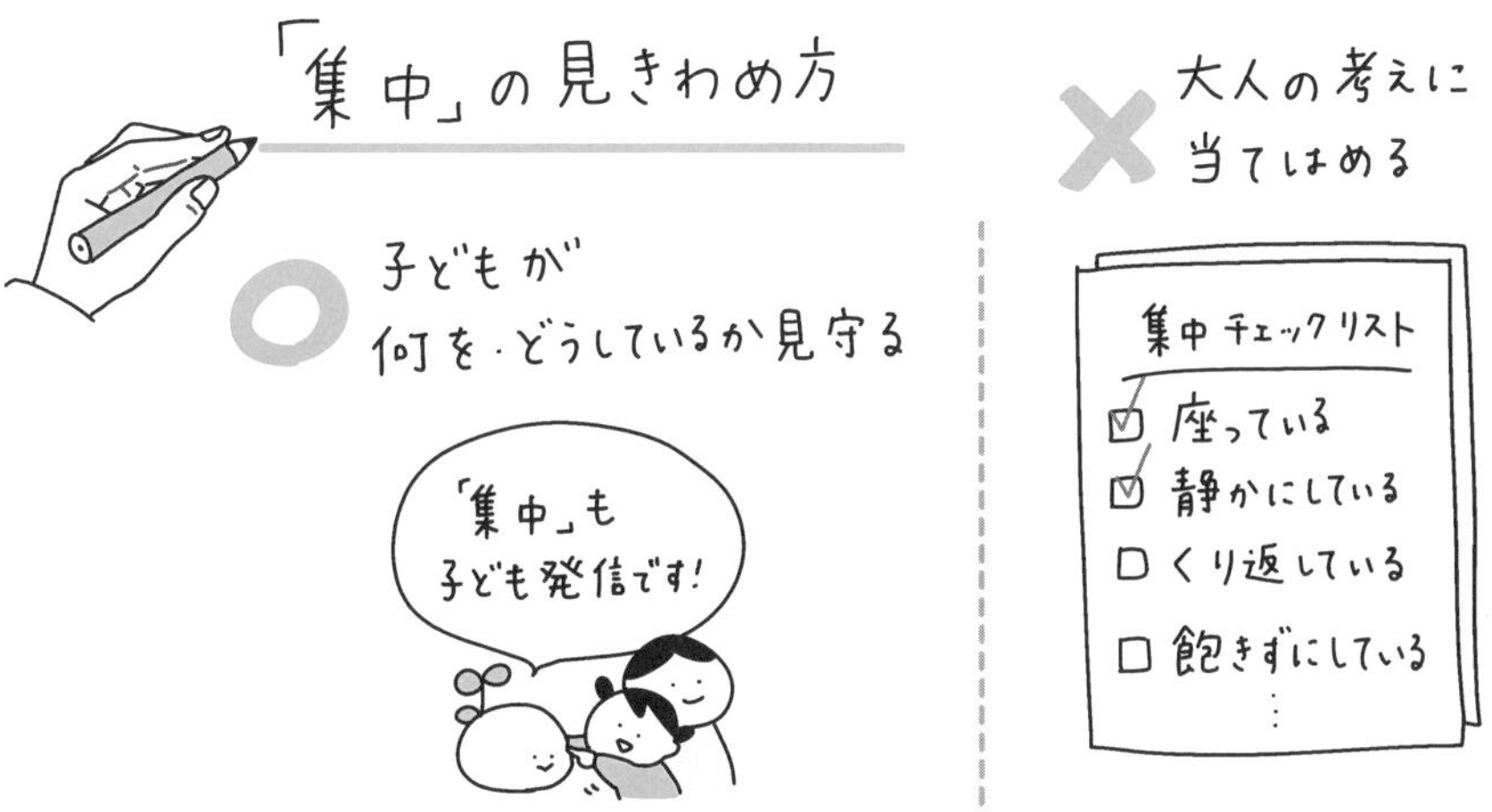

「集中」の見きわめ方
○ 子どもが何を・どうしているか見守る
「集中」も子ども発信です！
× 大人の考えに当てはめる
集中チェックリスト
座っている
静かにしている
くり返している
飽きずにしている

しているかを判断しがち。一方、子どもの集中には、時間や姿勢では測れない場合もたくさんあります。

モンテッソーリの教育施設でも、活動の長さは子どもによって違うのはもちろん、同じ子でも日によって異なります。集中とはそれくらい、**そのときの成長や心身の状態で変わるものなのです。**

なので、親が「集中していない」というお子さんを見るとじつは集中していた、ということはたくさんあります。

子どもは、自分がしたいことを、自分のしたい方法で、自分の好きな長さで満たしているのです。

ここで皆さんにお伝えしたいのは、**集中しているかどうかを時間の長さや見た目で判断するのではなく、「子どもは自分で自分を満たしている」のだとしっかり信じてほしい**ということ。

前にお伝えした10秒ワークや、観察の姿勢と合わせて、「なにを満たしているのだろう」という目で子どもを観ていると、「落ち着きがないな」とか、「いまはバタバタ動いているけれど、なにかを探しているんだな」とか「ちょっとやってみただけなんだな」というように、子どもの状態が感じられるようになります。

座っている＝集中ではないパターン

座ってたら
ほめて
もらえる
パパと
ママが
選んでくれる
……。
次は図鑑！
次は
パズル！

ずっと座ってなにかしているけど、好きなのかわからない……

今度は逆に、ずっと座っている＝集中力があると親が思っているお子さんでも、じつは全然集中していなかった、という場合のお話をします。これは、なにかをずっとしている＝時間の長さが集中と思っている方にありがちなお話です。

こういうケースは、子どものやることを親御さんが選んでいたり、子どもがなにかをしているときに、親御さんがなにかにつけて指示を出していたりするご家庭に多く見られます。**ずっと座ってなにかをしているけれども、実際は子どもは受け身になっている**ということです。

そんなときの子どもの姿を見ていると、大人の顔色を見たり、ほめてもらおうとアピールしてきたり、小さい子だと親の顔を見ながら、自分で自分に拍手するなんてこともあります。

あるいは、ずいぶん長く活動しているなと思って様子を見たら、た子どもが選ぶまで待ってあげよう。

Point!

時間がかかっても待つ

「なにもしない」も、選んだ結果だと認める

やらないものがあってもOK（親が選んだものだから）

おえかき
ずかん
パズル
えーと…ないかも…
好きなのどうぞ

め息をつきながら続けていることもある。それは集中しているのではなく、親から言われてやっているだけなので、やめどきがわかっていないのです。

そういう子どもをよく見ていると、**「自分でなにかを選ぶこと」が苦手な子がたくさんいます。**

子どもが大人しくなにかをしていれば安心する、それが親心というもの。でも、子どもを見ていて、「なんか受け身になっているな」と感じたら、子どもの活動をどこかでコントロールしてしまっていないか、親子のコミュニケーションを見直してみるといいでしょう。

おうちモンテでは、どこまでも子どもの様子がすべて。親がついつい手をかけたくなりますが、**10秒ルールを意識して「ちょっとほっておけばいい」し、もし子どもの姿に違和感を感じたら、そう感じた自分自身の感覚を信じ、かかわり方を変えてみてくださいね。**

「自分で選ぶ」がすべての始まり

集中、敏感期という言葉や自分が「こうあるべき」と思うことに縛られてしまうと、インターネットや本でいろんなケースを検索しては、わが子の姿に当てはまりそうなことを探したくなります。でも、それは子育てをする上では逆効果。わが子のことがどんどんわからなくなってしまいます。そんなときは一度、モンテッソーリのキホンに戻ってみましょう。

子どもは、**どんなときに集中するのか。それは「自分で選んだ活動をしたとき」でしたね。**

もし大人が子どものやりたそうなことを選ぶ場合は、「そのときの子どもの興味にフィットしたものを用意できているかどうか」がポイント。

もっと言うと、親が「こういう活動をさせたい」という気持ちで選んでいたり、こういう教具やおもちゃならやるかな？などと目についたものを用意していた場合、子どもには興味のないことの方が

Q. これって、集中してませんよね…？

しくみが知りたいタイプ
コレナニ？
わかった！
わかったら次！
ナニ？
探しているタイプ
うろうろ…
ふらふら…
見つかったらじっとしている

A. じつは！どちらも集中している!!

多く、活動が続くことはありません。

それは、**子どもが興味のあることを見つけられないのではなく、大人のかかわり方が原因。子ども自身は、「親の選んできたものに『いまは』興味がない」。それだけ**なのです。

教育施設にある教具は、たった一つのことに特化して作られたものです。だから子どもの「やりたい気持ち」にピッタリはまったときには、長い集中をもたらします。

そして教育施設には、教具の数もたくさんあります。そのような環境であったとしても、子どもたちが365日、毎日興味があるものに集中しているかというと、そんなことはありません。

おうちモンテであれば、なおさらのこと。**もっとゆるく、子どものしていることを見つめてみてください。**繰り返しになりますが、親御さんは、先生である必要はないのです。

集中していないように見える4つの状態

探している
知りたい
忙しすぎる
レベルが高すぎる
数学
パズル
大人が手伝えるのは
この2つだけ！

ちょっとやってはすぐ別なことをしてしまう子どもには

集中について、もう一つみなさんの気になることをご紹介します。

それは、「ちょっとやって、すぐほかのことに目移りしているように見える」という場合。

大人の目にそう見える子どもには、必ず理由があります。

おもな理由は、次の４つです。

1：興味があるものを探している状態
2：もののしくみが知りたい子
3：家庭の生活リズムがあわただしい
4：やろうとしていることのレベルが、その子に合っていない

１は、まだ興味のあるものに出会えていないだけ。これから見つけていく楽しみがあります。

たとえば、成長していく中で、それまでに見たり聞いたりしたものがその子の中に貯まっていきます。するとそのなにかが特定の興

味に結びつき、グッと引き込まれていったりします。

この場合、親が子どもに興味がありそうものを選択肢として提供するのはいいのですが、あくまでも子どもの時間とスペースを大事にしながらのんびりかまえているようにしてください。

2の場合は、基本的に「じっくり活動する」という姿は見えないことが多いです。もののしくみがわかったとたんにやめることも多いので、気持ちにムラがあるように見えるかもしれませんが、子どもの中ではきちんと目的が達成されています。

大人がサポートできるのは、3と4の場合。

「座っていられないために落ち着きがない」感じを受けるお子さんに多いのが3のタイプ。この場合は**お子さんだけの問題ではなく、親が「あれもこれもしなくちゃ」と思っているご家庭によく見られます。つまり、家での生活が忙しすぎるのです。**

「時間通りに○○しなくちゃ」とか「○○するなら△△」からとか、「そのついでに○△と□○も」など、ものごとを効率化しようとする

子どものスペースに
いきなり入らない
ことも大切。
おフロ！

ご家庭が多いのも特徴の一つです。

そんな忙しい生活では、子どもはやりたいことの時間を十分に持てなかったり、細切れ時間での活動になってしまう＝集中が切られてしまうことになり、集中しづらくなります。

また、やることを詰め込まれてしまうと、進捗や時間を親に管理されるので、子どもは常に受け身になり、親のタイムスケジュールに合わせるために緊張をしいられます。そして、自分の中で集中できる習慣が育ちにくくなります。

こういう場合は、**大人が「すべき」ことやルールを減らすのがカギ。生活の優先順位を決めて、順位が低いものを思い切って手放してみます。そうすることで大人にも余裕が生まれ、子どもも変わっていきます。**

４の場合は、子どもが興味を持ってやってみよう、と思うレベルの難易度になっていないことがあります。

子どもは、親が思っている以上にプライドが高い人です。自分ができないことも、簡単すぎることもすぐ見抜き、積極的に取り組も

子どもが、
何をしていいか
わかっていない時は…
お片づけから
してみよう。
具体的に、
できることを
言ってあげよう！
着替え？
片づけ？
歯みがき？

うとしません。

「ちょっとやってみてすぐやめる」というときは、53ページでお伝えしたスモールステップにして話すと、いい方向に変わっていきます。

いかがですか？

子どもになにかしてあげられると思ったのに、「大人が、大人が」と、大人側が変わることを求められてがっかりされた方もいらっしゃるかもしれませんね。たしかに、いきなりガラッと変わることはムズカシイと思います。

でも、78、82ページでご紹介した10秒ワークならすぐにできます。思いついたときにちょっと10秒待ってみる。そこから子どもをじっくり観察してみることをやっていくうちに、ある日「ふわっ」と変わります。

子どもだけでなく、大人も「スモールステップ」です。それだけで、子どもの敏感期と集中する姿がわかってくるので、ぜひしてみてほしいと思います。

第2章では、モンテッソーリのキラーワードの一つ「敏感期」をくわしく見てきました。大人が思う「敏感期っぽい姿」より、「うちの子はいまこれをしたいんだな」というものを見つける。そのために「それは『快動』ですか？」という目で10秒待ってみる。それだけで、あっという間に子どもの世界が見えるようになるよ、というお話でした。

第3章では、「最高の環境を整えてあげたい！」方も、教育にそんなにお金がかけられない方も、家が狭いなどでお悩みの方も、いますぐ使えるおうちモンテの環境についてお話します。

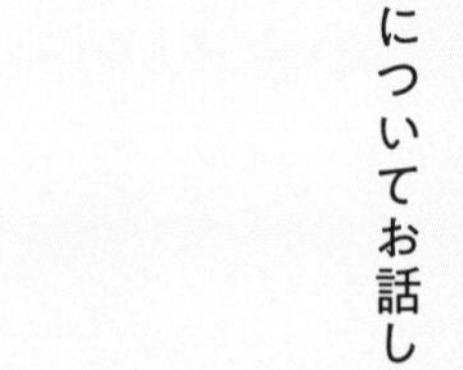

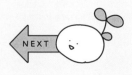

第３章

「環境」を正しく知って
おうちで生かす

「環境」って、なんですか？

モンテッソーリ教育でいう「環境」とは、子どもが見て、聞いて、触れる世界すべてのことをさします。子どもは、自分のまわりの環境にあるもの全部を受け取って大きくなるからです。ここで忘れないでほしいのは、「子どもにとっては大人も環境の一つ」ということ。

教具や道具あるいは何かしてあげることを指すように思われがちですが、「自分以外の人・ものすべて」なのです。中でもとくに影響するのは、学校でも先生でもなく親御さんと暮らし方。そして一般的には、子どもと一緒にいる時間の長い「お母さん」が一番影響力を持ちます。

具体的になにをする・したというよりは、「一人の人としてのあり方」のすべてが子どもに伝わっていきます。

だから、習いごとやおもちゃなど物理的な環境を整えるだけではなく、「いい親になろう」とがんばりすぎるのでもなく、家族にとってのベストを探していきましょう。繰り返しますが、「がんばりすぎなくて大丈夫」ですよ。

親の「お悩みあるある」チェック

いい環境がわからない！

- □ 家が狭くて、子どもの場所が作れない
- □ 家が片づかない。片づけるのもむずかしい
- □ スペースを作っても、散らかる
- □ 子どもが片づけない
- □ 毎日いろんなことをさせないと、とアセる
- □ なにを用意したらいいのかわからない
- □ よく夫婦喧嘩をする
- □ 子どもが思い通りにならなくてイライラする
- □ 働いていて、一緒にいてあげられない罪悪感がある
- □ つい、きつく子どもをしかる自分が嫌だ

「いい環境＝いいもの、いい習いごと、なんでもさせる」という思い込みを手放すと、子どもにいい環境が作れます。

モンテッソーリ教育の考え方

大人のあり方
いつも
なにげなく
見せたり、
聞かせることが
子どもに伝わる
ほら、
キレイ
だねぇ

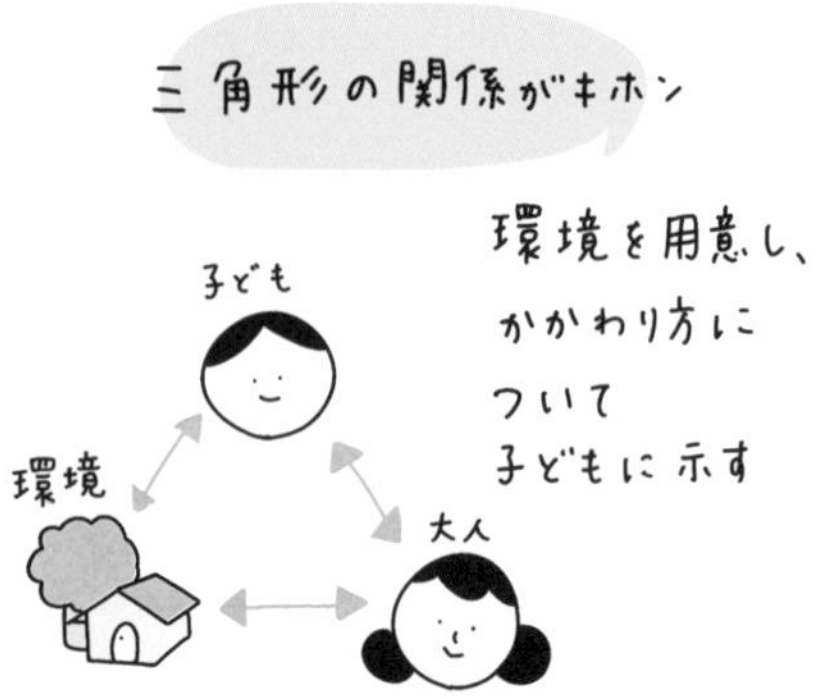
三角形の関係がキホン
環境を用意し、
かかわり方に
ついて
子どもに示す
子ども
環境
大人

ものや場所にこだわりすぎると、かえって悩みます

環境というと、なんとなくモノを買い揃えたり、場所を整えることや習いごとなどを想像しがち。そして、スペックをできるだけいいものに、と頑張ったりしていませんか？

でも、モノの豊富さやそのクオリティが育児を決定的に左右することはありません。

モンテッソーリ教育のいう「環境」は、モノのように「選択できるもの」だけではなく、身近な大人＝親も含まれます。そしてこの、大人の影響にみなさん悩まれます。

たとえばじっくり親御さんの話を聞いていると、モノを買うことや習いごとを増やすことに限界を感じて悩む方より、子どもに「時間をとってあげられない」とか、「がんばったのに思う結果が得られなくてイライラする」など、ご自身の気持ちやあり方で悩まれる方が圧倒的に多いのです。

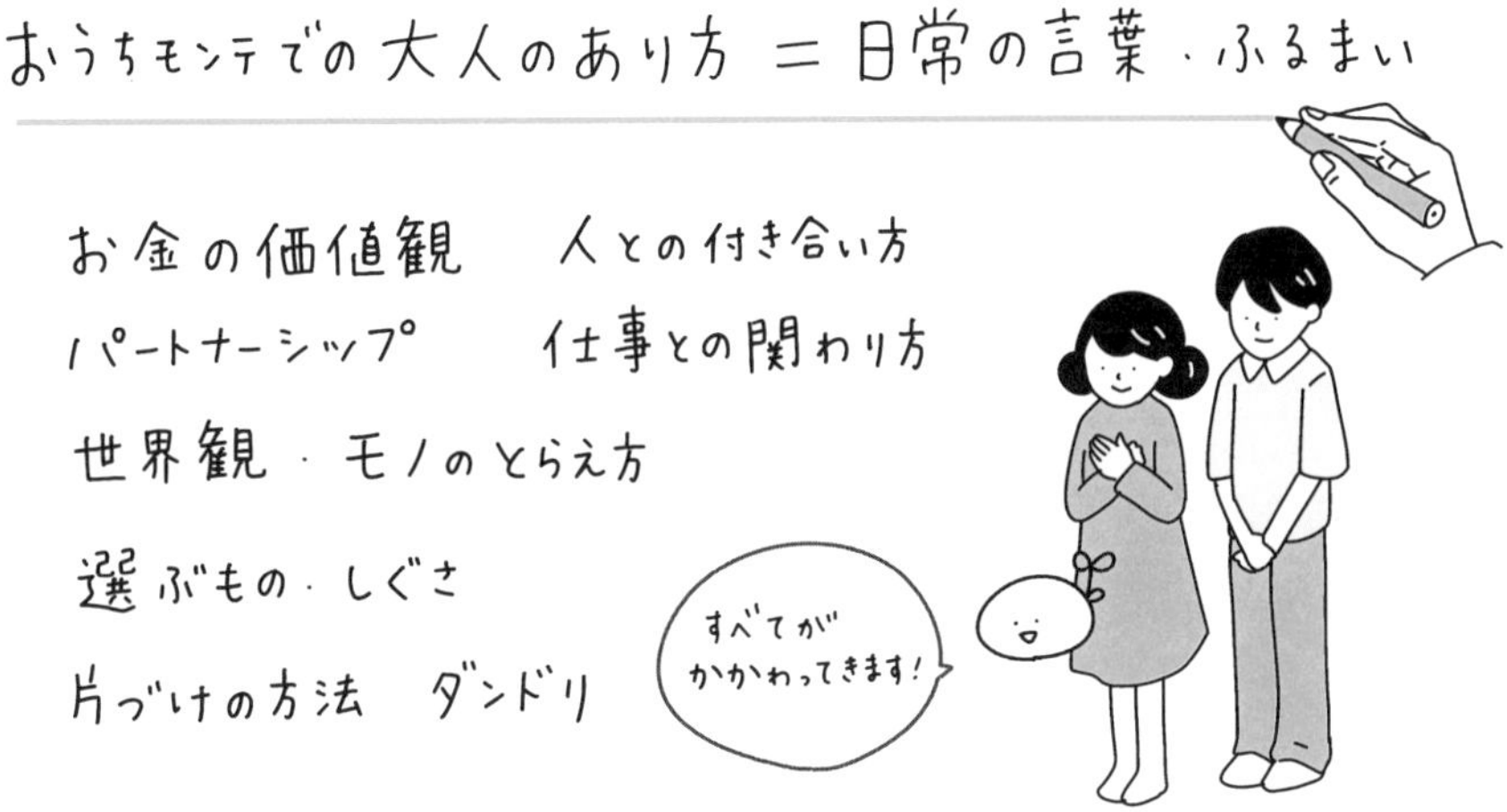
おうちモンテでの大人のあり方 ＝ 日常の言葉・ふるまい
お金の価値観
人との付き合い方
パートナーシップ
仕事との関わり方
世界観・モノのとらえ方
選ぶもの・しぐさ
片づけの方法
ダンドリ
すべてが
かかわってきます！

どちらの悩みも、おうちモンテの環境づくりを知ると、日々ちょっとした工夫をするだけで解消していくことができます。

モンテッソーリのいう「環境」の本質

さて、「環境」の本質的なところを見ていきましょう。

子育ての環境というと、子どもに何を与えるか・してあげるかと考えがちですが、マリアさんは**「子どもは大人が言ったことをするのではなく、大人が見せたもの・聞かせたものの真似をする」**と考えました。つまり、**「いつもなにげなく親がしていること＝あり方」が子どもに与える影響はとても大きいということです。**

ここで参考になるのは、教育施設での教師の子どもへの関わり方です。「大人の心得12か条」や、教具の基本的な考え方の中に実践的で、とてもはっきりした行動指針があります。

・**子どもサイズに作られた場で、子どもサイズの教具を、目的に合わせて整える**

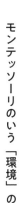

モンテ園
子どものために作られた場所
子どものものだけがあり、
先生が決まった
時間だけ
かかわる
家庭
大人も子どもも暮らす場所
お互いの暮らしのどちらも大事

- **大人は子どもに何度もやってみせる。大人のしていることを見て、子どもが学べるようにする**
- **大人は子どもが活動し始めたら見守り、だんだん離れていく**

など。また、教具があることで自分で間違いに気づくなど、先生が直接子どもをジャッジしないしくみもあります。

基本的な考え方は、次の2つです。

- **教師は子どもができるようにモノ（環境）を用意し、整える**
- **教師は子どもにモノ（環境）の使い方を教える**

直接大人にジャッジされることなく、子どもたちは、自分でモノ（環境）とかかわる。そうすることで自分を伸ばしていくことができます。

繰り返しになりますが、人は、なにかをあらためて教えられたことだけで育つわけでも、モノや習いごとだけで育つわけでもありません。「環境」には大人の「いつもの」振る舞い方、話し方、もの

「暮らしやすさ」の
配慮を
大切に。
大人も
子どもも、
お互いにね

の考え方すべてが含まれます。

だからこそ一度、いろんな角度から「おうちモンテの『環境』って？」と考えることには意味があります。

ホームレッスンの講座でも、ワークを通して一つひとつ考えたことで、自分らしいおうちモンテを発見していく方が多いです。この本でも、同じようにトピックスをご紹介していくので、みなさんも少し時間をとって考えてみてくださいね。

おうちモンテでは、教育施設のように特別なモノや環境は必要ありません。**むしろ日々の暮らしの中で、どれだけ子どもと自分がムリなくできるかが大切。**

なぜならおうちは、すべてが子ども向けに作られた教育施設と違い、大人と子どもが一緒に生活する場所だからです。

親子のどちらかが合わせすぎることなく、「お互いに大事にし合う」ことがポイント。一緒にやっていくという意識が、親子の距離感と子どもの自主性、自立を育んでいきます。

狭くてものが多い家でもモンテはできる?

「おうちモンテッソーリ」と称して、子どものモノだけを置く棚や、子ども部屋の写真をインスタグラムなどにアップされている方がたくさんいます。

でも、それらの写真をよく見ると、子どもの年齢=敏感期に合うものではなく、単に親が「おしゃれだな」と思っているものを並べているだけ、ということもよくあるのです。

あるいは、モンテッソーリ教師の方がお書きになった本に「棚や子どものスペースが大事」と書かれているのを見て、家が狭いとか、片づいていないからと、おうちモンテッソーリにハードルを感じる親御さんも多いようです。

でも、もっと気楽に考えて大丈夫。セオリーはありますが、そのセオリーの使い方が大事なだけ。

おうちモンテでは、必ずこれがなくてはダメ、はありません。極

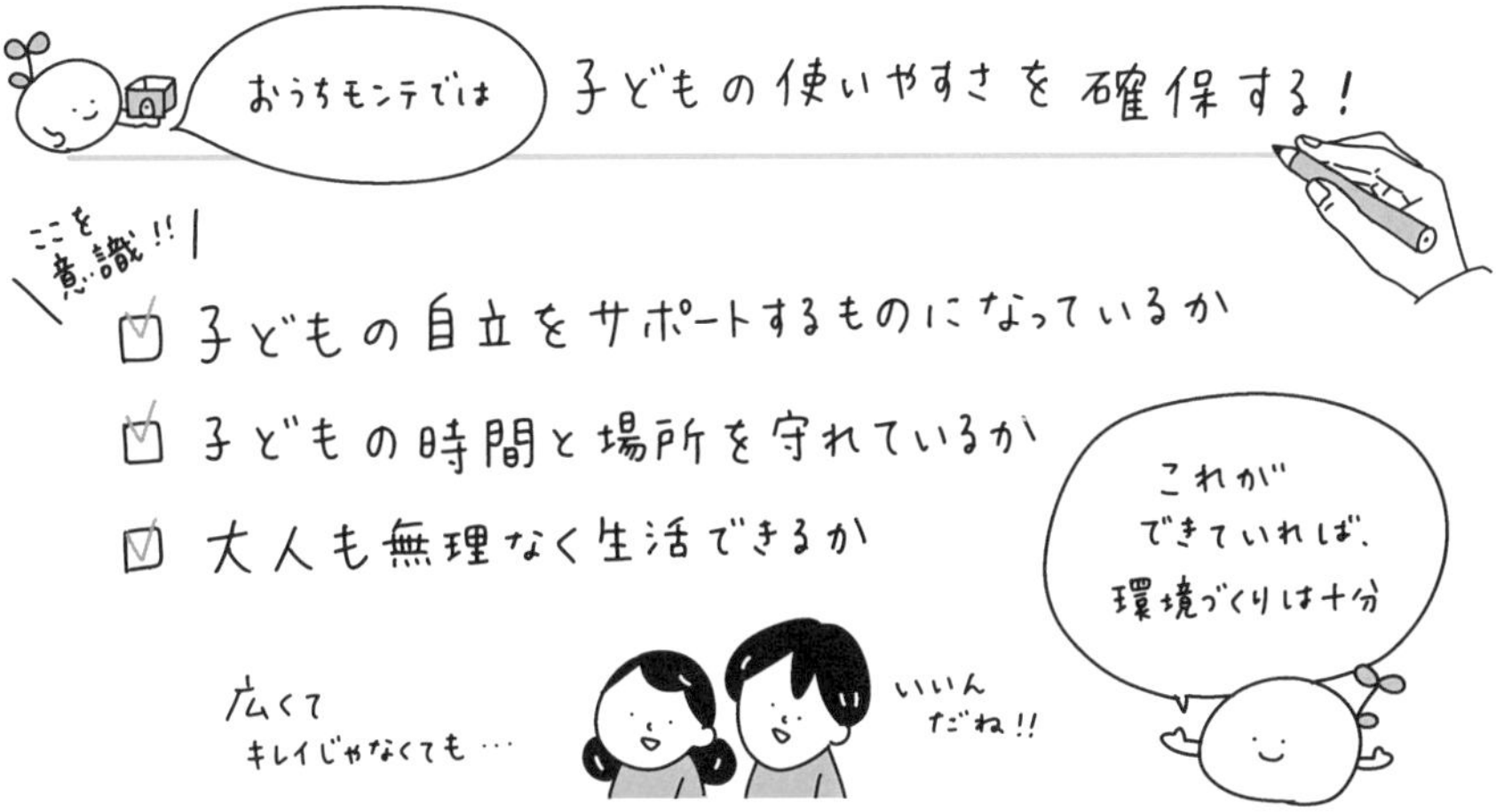
おうちモンテでは
子どもの使いやすさを確保する！
ここを意識!!
子どもの自立をサポートするものになっているか
子どもの時間と場所を守れているか
大人も無理なく生活できるか
これができていれば、環境づくりは十分
広くてキレイじゃなくても…
いいんだね!!

端な話、スペースなら、座布団一枚分あれば大丈夫。

お部屋作りについても「棚なんて作れない……」と悩むより、「子どもが自分でできる工夫」をすることをクセづける方がずっと大事。

おうちモンテッソーリを無理なく長く続けるためには、部屋がおしゃれか、広いか、片づいているかなどより、次の3つがポイント。

・**子どもが自立するためのサポートになっているか**
・**子どもの時間と場所が守られているか**
・**大人も無理なく暮らせる環境か**

繰り返しになりますが、モンテッソーリの教育施設は、子どものための場所で子どもサイズのモノが用意されたところ。使う道具＝教具も、一度に使うものが一つにまとめられ、子どもの発達に合わせて並べられています。

それが可能なのは、「子どものためだけの場所」だからです。

これと同じことを家でするのが不可能なのは、ちょっと考えればわかりますよね。

子どもの好きにさせる時の3つのポイント

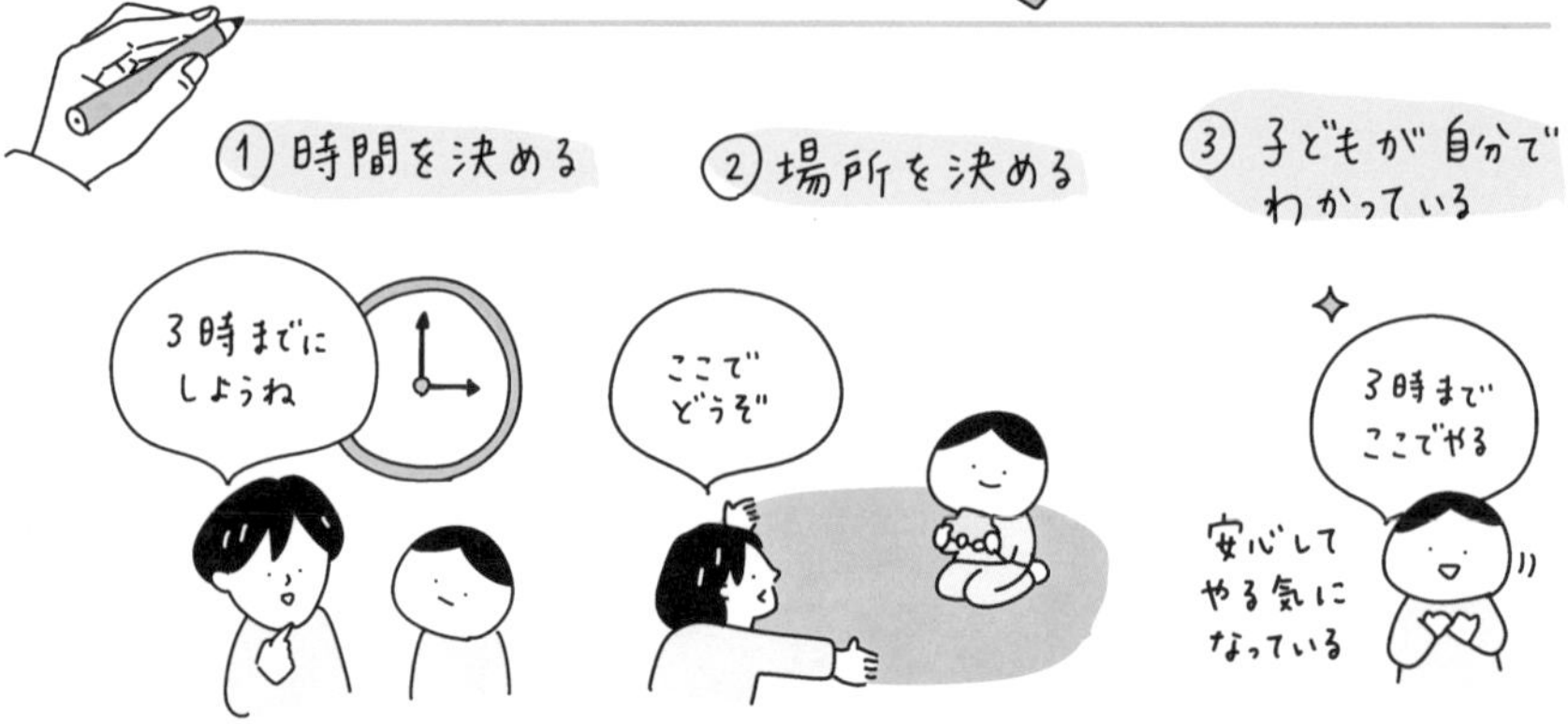

①時間を決める
②場所を決める
③子どもが自分でわかっている
3時までにしようね
ここでどうぞ
3時までここでやる
安心してやる気になっている

一緒に暮らすなかで、子どもだけを優先すると大人が苦しくなるし、大人だけを優先すると子どもが大変になります。大人に振り回されたり、子どもが自分でできないために結局大人の手が必要になると、大人も負担に感じます。

だからこそ、「うちの暮らし」の中で折り合うところを見つける。それで十分なのです。

この章ではこのあと、**子どもが暮らしやすいというのはどういうことか？**をご紹介していきます。

子どもたちは、育ちながら自分のまわりの世界を知っていく人たちです。わかりやすくわかる・できるようにするにはどうしたらいいか？というコツをつかんでくださいね。

「子どもの時間と場所を守る」という考え方

おうちモンテッソーリは、家が狭くても、ものが多くても、散らかっていてもあきらめなくて大丈夫。「○○だからできない」となにかのせいにして落ち込む前に、してみてほしいことがあります。

子どものモノは、一つの場所に一つのモノを

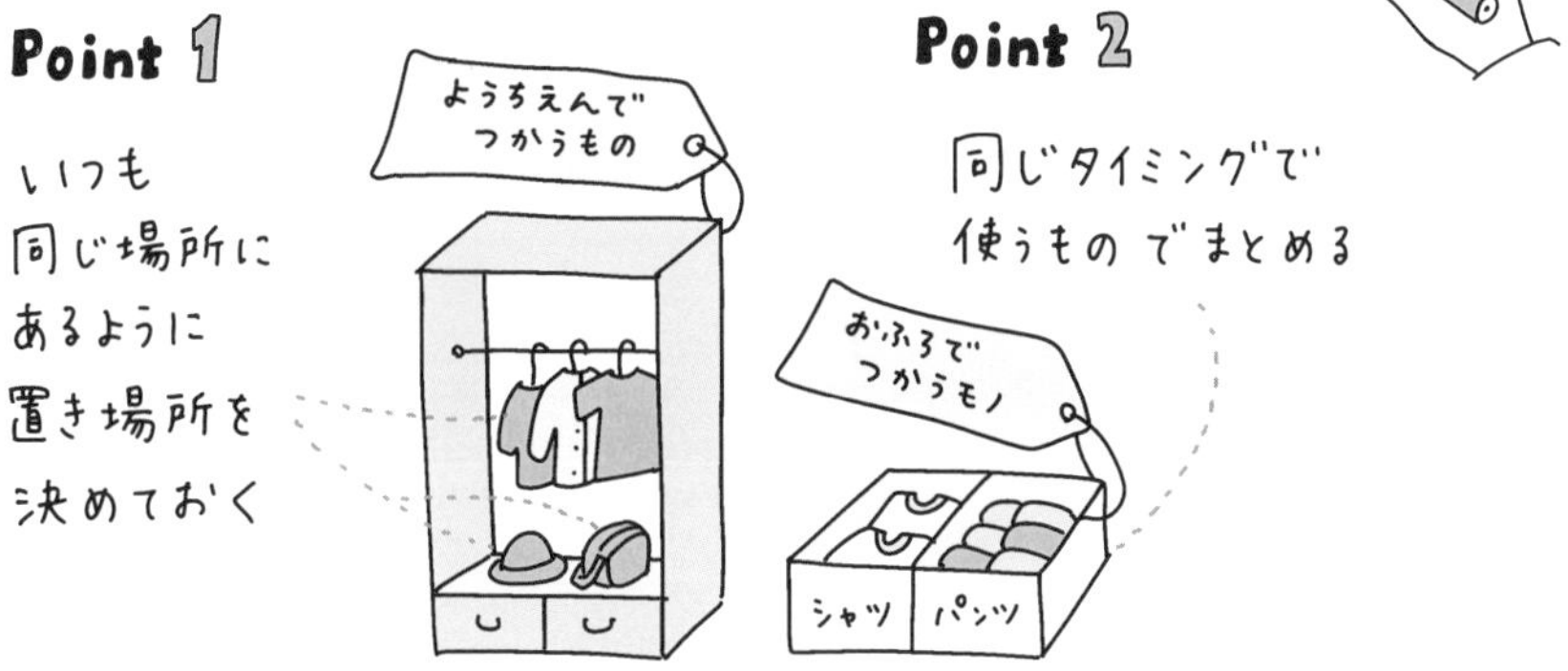
Point 1
いつも
同じ場所に
あるように
置き場所を
決めておく
ようちえんで
つかうもの
Point 2
同じタイミングで
使うものでまとめる
おふろで
つかうモノ
シャツ
パンツ

それはまず、大人も子どもも暮らしやすい環境であるために、親子それぞれになにが必要か？を考えてみること。

そもそも、子どもが暮らしやすい環境のために、**一番最初に考えたいことは「自分の場所と時間が守られている」ことです。「ここでなら好きにしていいんだ」という場所があることを子どもが知っていて、そこで好きなことをする時間が、ある程度いつも認められていることが大切です。狭くたってＯＫ！**

時間は、長さというより子どもが「いつまでやっていていいのか」がはっきりわかっていること。それだけで、子どもにとってはやさしい環境になります。

子どもが自分でしやすい環境とは

子どもの「自分でできるを増やす」**環境を整えたいときには、モノの置き方や置く場所にちょっとしたコツがあります。**

特に大事なのは、この２つ。

・一つの場所に置くのは一つのモノだけ

・いつも決まった場所にモノを置く（モノの住所を決める）

なぜなら、**幼児期と学童期の子どもたちは「同じ」が大好き**だからです。そして、まだまだ「やり方を知らない小さな人」なので、自分の身の回りがどうなっているかを知りたいと思っています。

そのため、**変化ができるだけ少ない方が覚えやすく、「いつもと同じ」であることに安心します。**

また、ごちゃごちゃとものが混じっているよりも、なにかの基準があって整理されている方が、よりシンプルに世界を理解しやすくなります。

もしあなたが「整理」という言葉を聞くだけでもイヤ、という方なら、部屋がガラッと変わるくらい掃除したり変えるのは、とっても大変ですよね。そういう場合は無理せず、同じ用途のものはまとめておく。違うものは混ぜない、と考えるだけでもＯＫです。

そのときは、次の3点に気をつけます。

子どもが
興味を持つ
ように話す
ハイ！
おフロに入りまーす！
まず！
パンツを出しまーす！
シャツもいるよね！
じゃあ！
おフロ場に出発ー!!
ひとつひとつ
ダンドリを
口にしながら
教える
パンツ

- **子どもが考えなくてもわかるようにする**（できるだけ「このときはこう」というように、判断したり記憶に頼ったりする必要がない状態にする）
- **同じタイミングで使うものはまとめておく**
- **置き場所を変えたときは子どもに伝える**

こうしてみると、片づけの基本みたいなもので、整えると大人も暮らしやすくなります。

「自立＝自分でできる」をゆっくり理解していく

小さければ小さいほど、子どもの日々の関心は自分のことを自分でできるようになることに向いています。そして「僕が（私が）やる！」と、自主的なトレーニングのようにチャレンジします。

「自分に必要なことを自分で満たす」ことが増えることは、親だけでなく子ども自身にとっても喜びであり、子どもの自立の第一歩。

そして、体を自由に動かせるようになることは、子どもが自分のまわりの世界を理解していくことでもあります。**単純になにかが「で**

きた、できない」だけではないのです。だからこそ、ちょっとした配慮をしてあげると、親子ですごす時間の質が変わってきます。

最後に、**「自分でできるようになる」ためには何度でも、置き場所を案内したり、やってみせたりすること、あるいは一緒にしてあげることをいとわない**でください。くれぐれもいきなり「自分でできるよね」「前にも言ったよね」なんて丸投げしないでくださいね。

1回言ってダメなら、3回言う。5回言う。10回言ったっていいのです。手間がかかるように見えるかもしれませんが、この時間は、子どもの内側の豊かさと自信、自己肯定感の土台をしっかりと作っていくことにつながっていきます。もしイライラしてしまうなら、イライラするのは子どもの問題ではないのです。

使うものを全部揃える・まとめておくのはなぜ大事？

使うものを初めに揃えたり、まとめておくのはズバリ、やりたい気持ちがホットなうちにやってもらうため。

子どもは、親が思うほど長くは待てません。大人が準備をするた

使うものはあらかじめ準備しておくこと

やりたい！
その気持ちを冷まさない！
おうちでできる範囲で大丈夫です！

子どもの気分は冷めやすい。ホットなうちにやらせるのがとても大切！

めに段取りを考えたり、あれやこれやしていると、子どもは「やっぱりやーめた」と、別なものに気持ちが移ります。

教育施設では、使うものはあらかじめトレイなどにまとめておいてあります。**おうちモンテの場合は、あとから探したり足すことがないよう、なるべく最初に揃えるようにするのがおすすめ。そうすることで子どもは「やりたいこと」に集中し続けやすくなります。**

もし、なんの準備もないときに「○○をやりたい」と言われたら？　そのときは「また今度ね」と言わず、できるだけその場で、準備から一緒にしてみてください。

あなたは「ちゃんと準備してから」と思うかもしれませんが、「じゃあ、週末ね」とか、「あとでね」と言うと、子どものやる気が去ってしまうこともあります。**子どもの気持ちがホットなうちに、子どもがやりたいことをする。その方法を考えます。**

大人が準備するあいだ、子どもにはなにか一つしていてもらうなどでも大丈夫。なにかを出すなど、準備を一つお願いして、その間に大人が全部出すのもＯＫ。**おうちモンテでは、そのちょっと一緒に何かをした、ということも、十分子どもの成長につながります。バ**

やってみせる
話して教える
2つを分けて接しよう
こんなカンジ。
つみきは箱に入れるよ

タバタも楽しんでください。

そんなふうに「ちょっとやってみる」が満たされていくと、子どものできることがだんだん増え、興味も広がっていきます。そうしたら、子どもの年齢と集中力に合わせて、準備してもらうことを少しずつ増やしていきます。

大事なのは、あくまでも「いま、そのときやりたいこと」に子どもが十分な気持ちを向けられるよう、大人がサポートしてあげること。もちろん、いつもすることだったら、まとめて準備しておくのもいいと思います。

説明と動作は別々に

さて、子どもたちにやって見せるときに、「ここだけは外しちゃダメ」なポイントがあります。

それは**「言葉と動作を分ける」**こと。

話すときには話だけをする。やってみせるときにはやってみせるだけで、話はしない、ということです。

なぜなら、「話す」と「動く」では、はたらく脳の部位が違い、「言

「話す」と「やって見せる」を分けることを意識しつつ、あとは会話を楽しく!!
できた!!
お片づけの天才だなー!!

葉と動作を分ける」ことは脳科学的にも有効な伝え方だからです。そして「1度に1つだけ」というモンテッソーリ教育の基本から考えても、「話す」と「(動作を)見せる」を分けることは、子どもにやさしい対応になります。

ここでもう一つ、コツがあるとしたら「会話」です。

幼児期のモンテッソーリは、「大人が子どもにやってみせること」を基本とします。このため、モンテッソーリの教育施設は、基本的にとても静かな空間です。

集中している子どもは黙々と活動しますし、先生も子どもには必要最低限のことだけ話します。

では、おうちモンテも静かであることが絶対条件かというと、私はそうは思いません。親子の会話は、子どもの心の豊かさを育むために欠かせない要素の一つです。

それにおうちモンテの場合、見せる訓練をしていないお母さんが、ただ黙ってやって見せるのはムズカシイ。ただやってみせる、ということにも不慣れです。話さないでいることもハードルが高く、第

話すときは、一文を短く

一不自然ですよね。

だから、**話すのと動作を分けながら、たくさんお話もしてほしい**と思います。そしてもし余裕があれば、次の内容に気をつけてみてください。

- **なにかを説明するときは、順番を1つ1つ区切って伝える。1文は短い言葉で。そして見ていてほしいポイントも伝える**
- **まとめて説明するのではなく、先に言葉で伝えて、言ったことをやってみせる。これを交互に繰り返す**

説明するときは、極力シンプルに伝えます。◯◯するよ。次は△△だよ、みたいな短い会話を重ねてみてください。必要なものをまず揃えてから始めるのもコツの一つです。すると、やりたいことがすぐできるし、説明が過剰になりません。

環境を整えたのに、いつも途中でやめてしまう子には

ここまで読んでいただいた方ならお気づきだと思いますが、おう

ちモンテは、本当に毎日の暮らしがベースになります。

モノを置く場所を決めたり、シンプルになっている場所が多いほど、子どものできることも増えていきます。でも、なかなかそういかないのが生活というもの。

気をつけたいのは、カンペキ主義にならないこと。

「せっかく準備してあげたのに、できない子」や、「ちゃんとしてあげられない自分」にがっかりしたり、責めたりしない。そして全部は無理でも**「これならできるな」という部分から始めていくことで、だんだん「子どもと暮らすコツ」がわかってきます。**

おうちモンテの環境のゴールは、カンペキに片づいたおうちではなく、みんなが快適に過ごせるようになるためのおうちづくりなのだということを忘れないでください。


親子だからこそ「全部ではなくて、なにか一つ」もおすすめ

もう一つよく質問をいただくのが、忙しいときに子どもが「〇〇したい」と言ってきたとき、どう対応すればいい？ということ。

たとえば、晩ごはんを作っている真っ最中に「お手伝いしたい」

カンタンに「できる」をつくってあげる

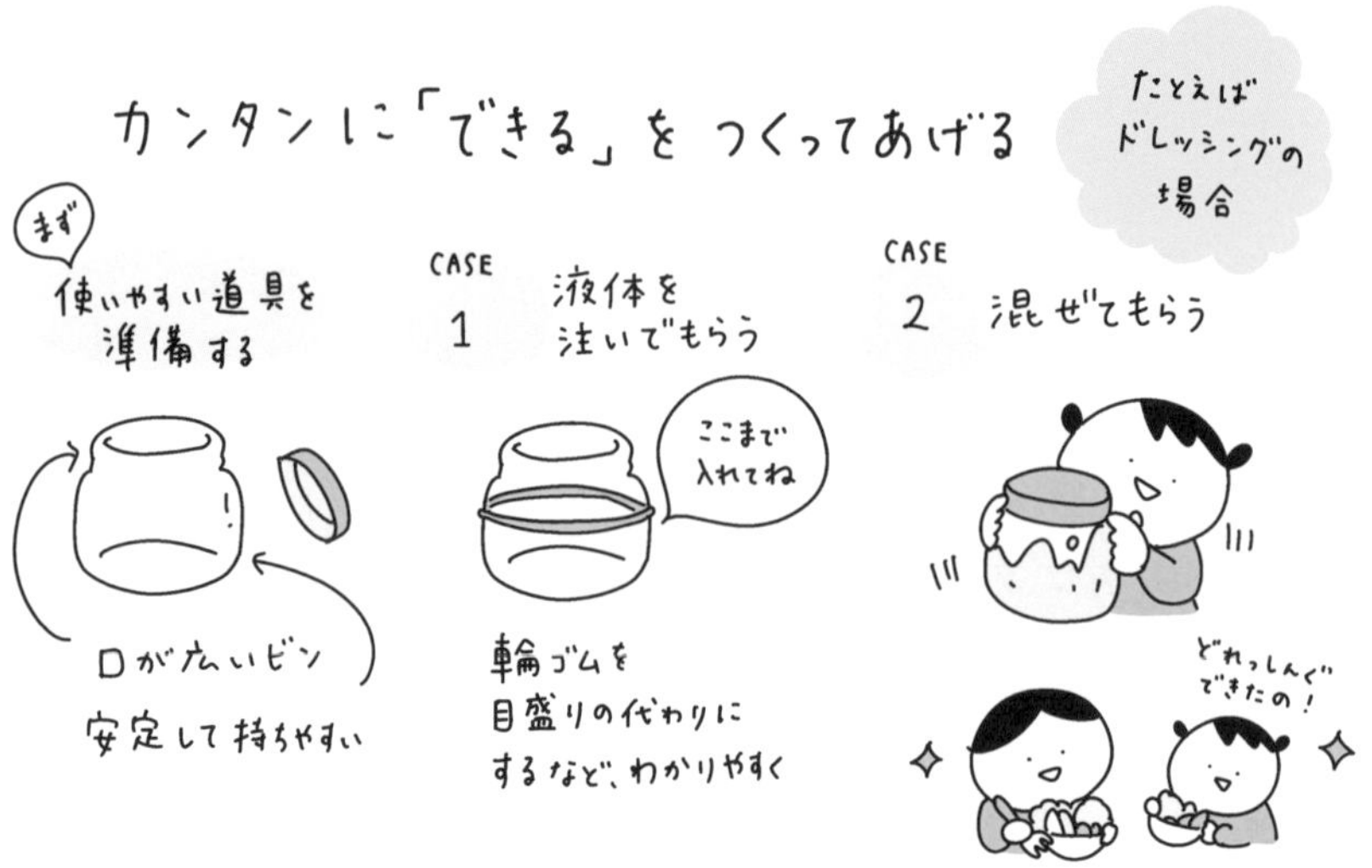
たとえば
ドレッシングの
場合
まず
使いやすい道具を
準備する
口が広いビン
安定して持ちやすい
CASE 1
液体を
注いでもらう
ここまで
入れてね
輪ゴムを
目盛りの代わりに
するなど、わかりやすく
CASE 2
混ぜてもらう
どれっしんぐ
できたの！

と言われたら、どうしますか？

危ないから、散らかるから、準備ができていないから……など、断る理由はすぐに浮かぶと思います。

でも、子どもは「できるようになりたい人」だし、できるようになるには、やってみないことには始まりません。料理などは、その小さな「やってみたい」を無視すると、子どもの料理への興味がなくなってしまいます。

子どもから**「やってみたい」と言われたら、準備と同様、「なにか一つだけ」お手伝いをお願いしてみてください。**

たとえば、ドレッシングを作るときに、材料は大人が揃えておいて、子どもに瓶に注いでもらう。フタを閉めるだけ、ボトルを振るだけなども、子どもができることです。

年齢によっては、玉ねぎやにんじんの皮をむくこともできますし、野菜を炒める音を横で聞いているのも、子どもの成長にとって、立派なお手伝いになります。ちょっと参加してもらいながら「ジュッって音がするね」など、たわいない親子の会話も親子にとっては大事なおうちモンテになります。

「ちょっと
やりたい」に
こたえる
たまご
混ぜたーい!
どうぞ
"ちょっと"できれば、
子どもは満足
することが多いです
忙しいけど
少し
やらせよう

家事の全部を子どもとする必要はありません。あるいは、お休みの日に全部準備してから、といった先のばしもできるだけしない。ホットな気持ちのうちに、ちょっとだけ。「ママのやっていることを真似してみたい」と、軽い気持ちで言い出すことに、応えてみる。親御さんのチャレンジのしどころです。

「全部できないから」といってやらないより、なにか一つでもできたことの喜びを一緒に話せたら、親子時間はとっても豊かになります。そしてその豊かさが、子どもが自然に伸びる力になっていくのです。

子どものものを選ぶコツ

規模の小さいモンテッソーリ教育の幼稚園は、「子どもの家」と呼ばれるように、すべてが子どもに合わせたつくりになっています。それはそのまま、子どものものを用意するコツでもあります。

言ってしまうととっても当たり前なのですが、そこには次の3つが揃っています。

「できる」をつくる！ モノの準備のポイント

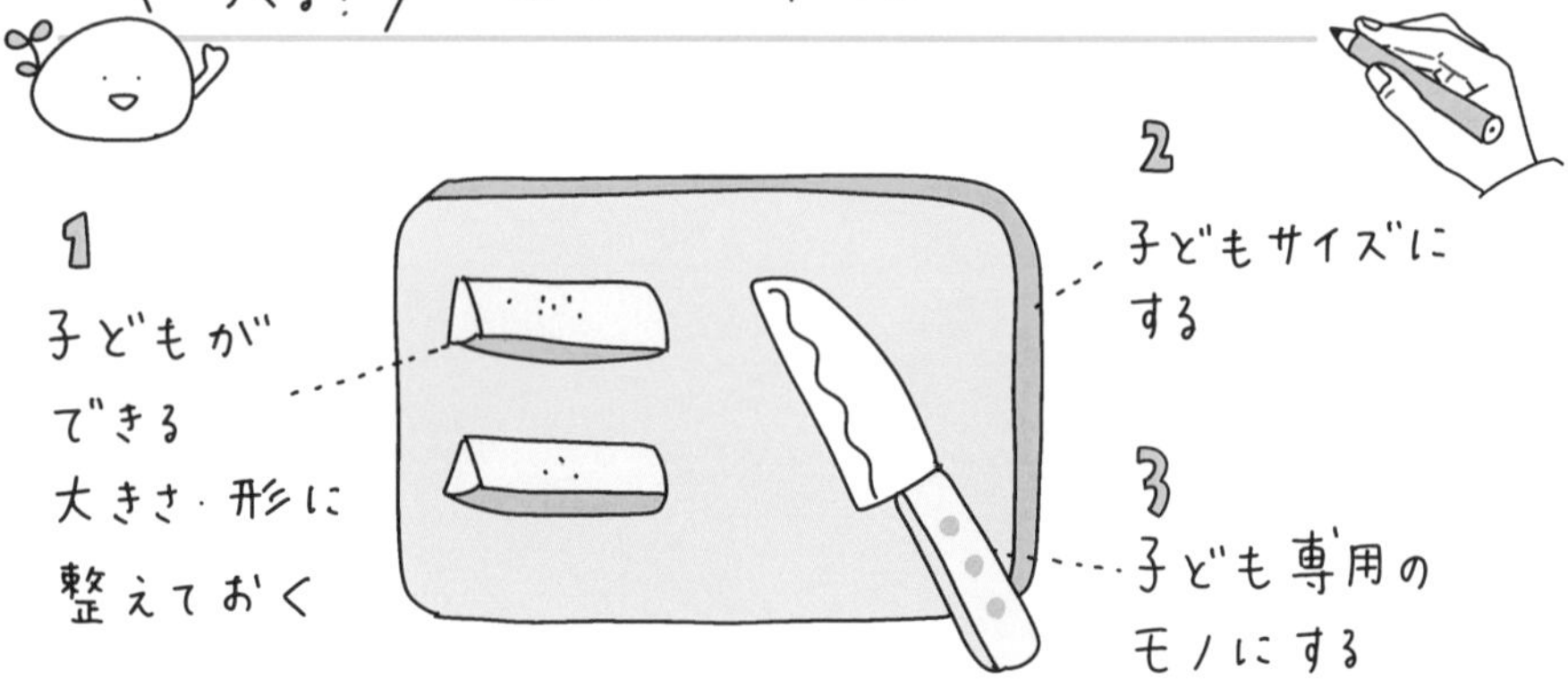
1
子どもができる大きさ・形に整えておく
2
子どもサイズにする
3
子ども専用のモノにする

・**子どもサイズのモノ**
・**子ども専用のモノ**
・**子どもができるモノ**

「子どもサイズで、子ども専用のものを用意する」ことは、なんとなく想像できると思います。配慮が必要なのは、3番めの「子どもができるモノ」の部分。

どういうことかというと、**子どもに渡すモノの形や大きさ、あるいは量がその子にとって適切か？**ということ。子どもの成長に合わせて、配慮のポイントは変わっていきます。

たとえば「野菜を切りたい」という子どもにいきなり大きな野菜を渡しても、手にあまってしまいます。なので、子どもが切ることができるサイズにして渡すことがポイント。場合によっては、キャベツの葉っぱ一枚だっていいのです。

そして、初めてなら一断ちで切れるものから始め、だんだん大きなものにしていく。あるいは左手も動かすことが必要な切り方にしていくことをおすすめします。

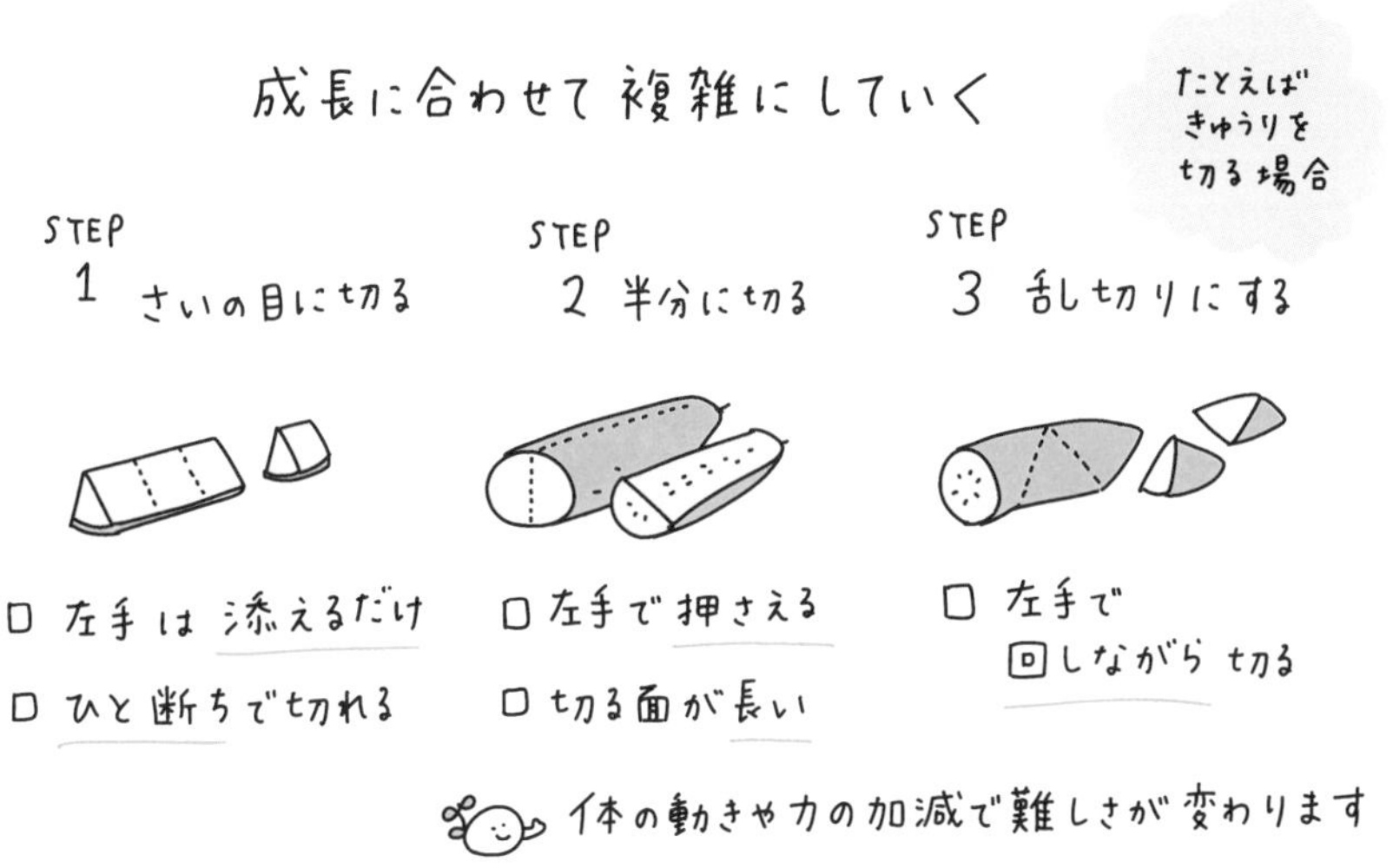
成長に合わせて複雑にしていく
たとえば
きゅうりを
切る場合
STEP 1 さいの目に切る
STEP 2 半分に切る
STEP 3 乱切りにする
□ 左手は添えるだけ
□ ひと断ちで切れる
□ 左手で押さえる
□ 切る面が長い
□ 左手で
回しながら切る
体の動きや力の加減で難しさが変わります

もう一つの着目点は、固さ。たとえば料理をしたいというとき、ニンジンのような硬いものは、細くしてあったとしても、小さい子が切るには硬すぎることがあります。なにかを開けるときに、フタが固く締めてあってもムズカシイですよね。

子どもがなにかをやりたいというとき、多くは、「とにかくやってみたい」「できることを増やしていきたい」が動機です。だからこそ、**カンペキにやりとげることより、「いまのシチュエーションでできることはなにか」という視点から見ていくことが大事です。**

子ども専用のモノを用意する

子どもの手にちょうどいい大きさであることを大事にしていくと、自然に子ども専用のモノを用意することになります。すると、子どもがやりたいときに、自分のものを自分で出すことができるようになります。

子どもにとっては、大人の手が空くのを待つことがなく、大人もいちいち手間がかかると思わずにすみます。そしてなにより子どもの安心・安全に配慮したサポートになります。

子ども用を用意する5つのメリット

1. 自分で準備ができるようになる
2. 「扱いにくくて」できない、がなくなる（大人側のイライラも減る）
3. 自分のものを大切にするようになる
4. 余計ないたずらをしなくなる
5. 一人前に扱われている気持ちが醸成される

また、自分のものを持つことで、子どもが「一人前に扱ってもらえている」という誇らしい気持ちや、ものを大切にすることを学ぶベースにもなっていきます。

「本物」を用意するときに大切なこと

子どものものを用意するときもう一つ大切なのは、**「本物を使う」こと。**危ないのでは？と思うかもしれませんが、包丁なども実際に刃があって切れるもので大丈夫。扱い方を話してから実際に切って見せていくと、小さな子でもていねいに扱うようになります。

この「本物を扱う」ときに、振り返ってほしいことが一つあります。それは、**本物をていねいに扱わないといけないのは、親も同じだということ。その親の振る舞いも、子どもたちはそのまま受け取っていく**からです。

たとえば、本物かどうかというとき、よく質問されるのは、「プラスチックか、ガラスや瀬戸物のどちらがいいのか」問題。

「子どもが落としたり投げたりするから、壊れないようにプラスチ

どちらを「うちの当たり前」にしたい？
A
雑に扱えてラクチン!!
使い捨てのもの
こわれないもの（プラスチックなど）
好きじゃないもの
B
大事なものだから丁寧に扱おう
大切なもの
こわれやすいもの
高いもの
その扱い方を子どもは見ている！
ものの値段に関係なく丁寧に扱うことが大切！

ックのコップやお皿を使っている。これはいいのか悪いのか？」という質問をされる方がいます。

ここで**大事なのは、素材のよしあしというよりは、扱い方**なのです。本物やいいものって、大人も丁寧に扱いますよね。どちらを使ってもいいけれど、プラスチックのコップやお皿も、ガラスや瀬戸物のお皿も同じように扱うことが大事。

落としたら割れるガラスや瀬戸物のほうが扱いが丁寧になる方もいれば、器を扱う所作として、どんなものを使っても同じ丁寧さの方もいます。

もし、子どもがモノを乱暴に扱っていたら、「自分がそう扱っているのかもしれない」と、親が自分のことを見直します。

包丁などの「危ない」と思うものや、ガラス製品など壊れやすいものなど、**使うことに心配があるものは、無理に渡さなくても大丈夫**。いつか渡す日まで、大人がていねいに扱う姿を見せるところから始めてほしいと思います。

無理に子どもが小さい頃から本物を使って、壊れないか？危なく

「本物」を使わせてあげるタイミングを見きわめる

0〜2歳くらい
落としても割れないもの
こぼしたり、面白がって投げたりするので
投げたりおとしたりしなくなってきたら…
そろそろ本物
お兄さんの食器にしてみようか？

ないか？とイライラ・ハラハラしながら暮らすより、子どもが小さいうちは危なくないものを使う。

子どもが大きくなってきて、落としたり、こぼしたり、割ったりすることが減ってきたら「大きくなったから大人と同じものを使おうね」というように、段階を踏んでもいいと思います。

その方が**大人もムダにイライラしないし、子どもは自分が大きくなったことを誇りに思うチャンスになります。**

せっかく用意しても子どもがしない、やめてしまうときは

子どもが「○○をやりたい」と言っていたのに、ちょっとやってやめてしまうときには、いくつか理由があります。

たとえば、準備のための待ち時間が長くて気持ちが途切れてしまった。やりたいと思っていたけれど、思ったよりむずかしくてやる気が失せてしまったなど、親にとってはささいに思える理由もたくさんあるのです。

そして大人が準備を「カンペキに」して、「全部を」子どもとしようと思うほど、子どもがやらないという場面が増えていきやすいも

「できる」をつくるためのポイント

1 動きを分解して、「カンタン」の集合にする

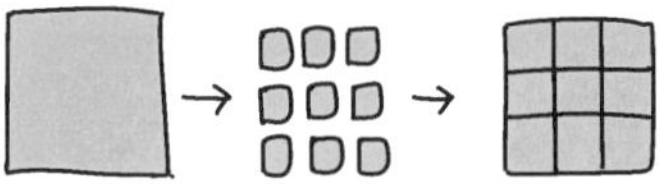

2 カンタンなことから始めてだんだん複雑にしていく

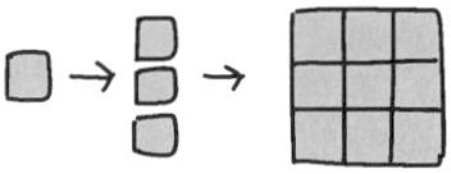

のです。

そうなってしまわないためにも、**子どもにやりたいと言われたら「じゃあ、ここをお願い」くらいの気軽さで、なにか一つをしてもらうようにする。**その方が、お互いモヤモヤを抱えずにすみます。

ここで、やってもらうことを考えるときにも、子どもがすぐできるようになるためにも役立つ魔法のような工夫のコツがあります。それは全部を「『カンタン』の集まり」にしていくこと。

「カンタンの集まりにしてみる」はすべての育児のコツ

この「カンタンの集まりにしていく」という考え方は、おうちモンテのカナメの部分なので、ぜひ身につけてほしいところ。子育てのすべての「できない」をできるにしていく力があります。

モンテッソーリ教育では、先生が子どもに教具の使い方をやってみせることを「提示」といいます。提示の本質は、一つひとつの動作をできるだけ細かく分けて見せる。つまり動きを分解して、子ど

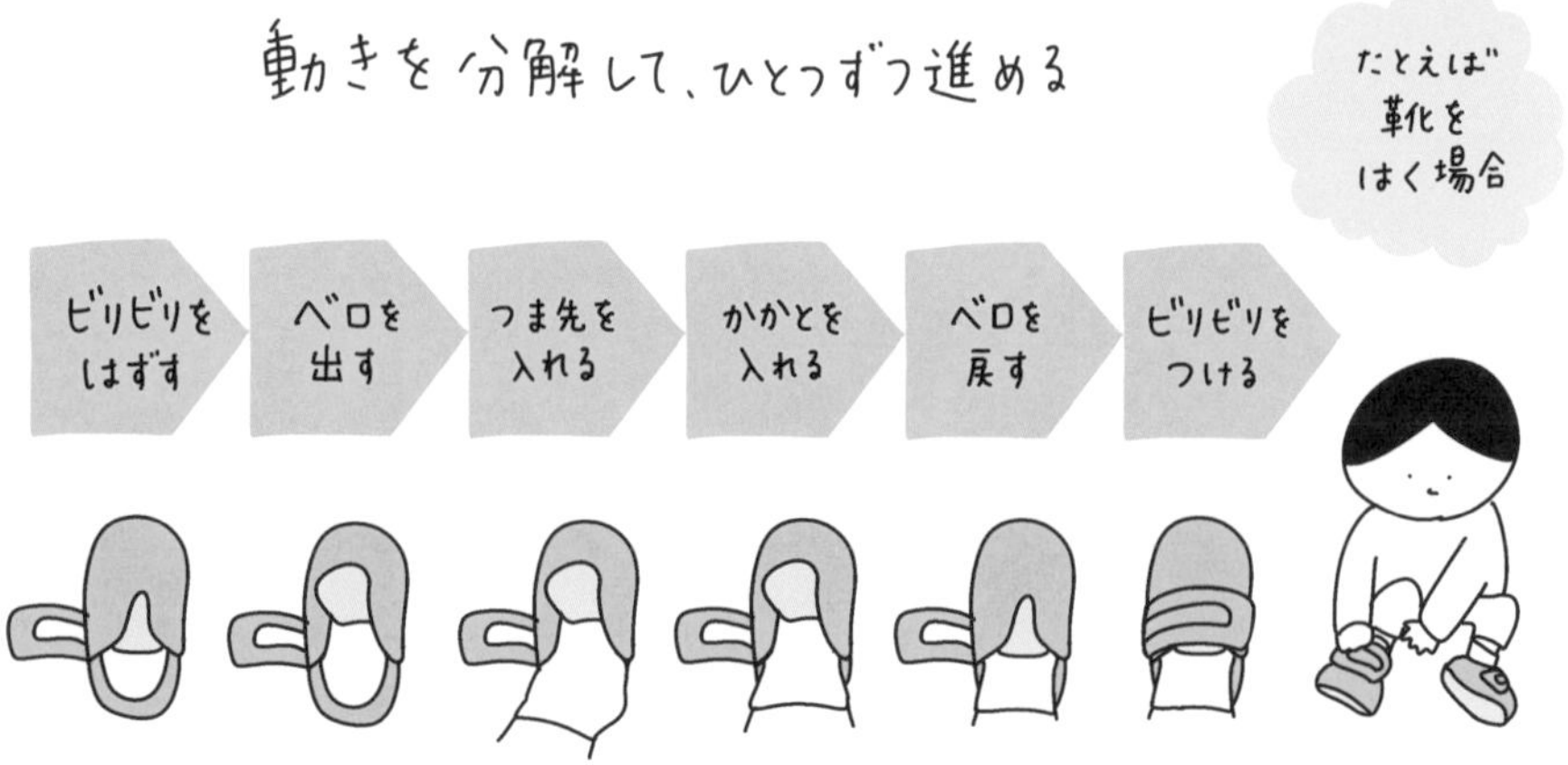
動きを分解して、ひとつずつ進める
たとえば靴をはく場合
ビリビリをはずす
ベロを出す
つま先を入れる
かかとを入れる
ベロを戻す
ビリビリをつける

もが見て真似できる小さな動きの集合にしていくことです。

おうちモンテで子どもにやってみせたり、なにかを任せるときも、**どこなら子どもにやってもらえそうかは、動きを分解することで見えてきます。**

「動きを分解する」って、どういうこと？

たとえば子どもが靴をはけないというとき、「靴がはけないのではなく、靴をはくための動きのどこかがうまくできないのだ」と考えます。靴をはくときの体の動きをよく見ていくと、上のような細かい動作の組み合わせになっていて、このどこかでつまづいています。

そして**子どもは、「靴がはけない」のではなくて「一つひとつの動きができるようになるためにチャレンジしている」**のです。その、子どもがチャレンジしている部分を見つけてやってみせるのが、大人の援助。そして提示をうまくするコツです。

カンタンな動きの集合にすることで、子どもがチャレンジしやすくなる。できたら、また次がしたくなる。一つのできた！という自信が、次のチャレンジにつながっていきます。

親のイライラ、3つの理由

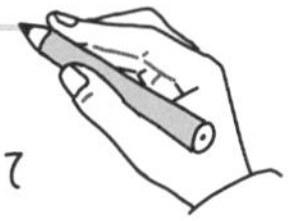

- □ 上手に教えられない自分に失望する
- □ 準備して教えているのに、子どもがやらない（できない）
- □ 準備ができていないのに子どもがやりたがる

大人は基本的に、体を自在に動かせます。その動作はなめらかで早いので、普通にやってみせるだけでは子どもが見て真似できない場合がたくさんあります。

一つひとつの動きを意識して分け、ていねいに見せていくことは、お互いを過ごしやすくしてくれます。

うまく教えられなくてイライラする。どうすれば？

親御さんたちの話を聞いていると、「うまくできなくて」には大きく3つのパターンがあると感じます。

- **準備ができていないのに、子どもがやりたいと言って困る**
- **準備をして教えているのに、子どもがやろうとしない、できない、続かない**
- **うまく教えられない自分にがっかりしたりイライラする**

さらに、「うまく教えられない」という方は、説明や、やってみせ

「教える」を
がんばるより、
「やりたい」を、
一歩ずつ。

どこで
困っている
のかな
ちょっとずつで
大丈夫!!
どこが
知りたいの
かな?

ることがうまくできない自分にイライラしたり、教えたのに子どもがうまくできなくて、自分の教え方が悪かったのではないかとがっかりしがち。

やりながらイライラするか、あとからイライラするか、**どんなイライラだったとしても、解決方法は一つだけです。**

子どもにカンペキを求めない

子どもになにかを教えようとすると、大人はどうしてもカンペキさを求めてしまいがちです。

「最初から最後まできっちり教えよう」とか、「できるだけ体系づけてここまで教えなければ」とか、「教えたからにはきちんとできるようになるまでやってもらおう」などなど、親目線で「ここまですることでひと区切り」というゴールを無意識のうちに設定してしまいがち。それがカンペキの原因です。

でも、子どもの「やりたい」はちょっとした興味から始まって、日々の積み重ねでブラッシュアップされていきます。

ちょっとできれば満足なのに、スポ根ものの取り組みを求めるの

は、ハードルが高すぎますよね。

基本的に、子どものやりたい！には、意欲や興味が詰まっています。できるようになりたい気持ちもあります。そしてやってみるから体が育ち、思い通りのことができるようになる。やってみて、五感で感じることもあります。

この筋トレと五感の体験が、いずれ知性に変わっていきます。だからこそ、「毎日、少しずつ」という基本に戻ってみてほしいのです。

子どもができない場合は、「子どもにとってはむずかしい」要素がどこかにあることがほとんど。128ページでお伝えしたように、動きを分解して、どこに引っかかっているのか、を見つけてみてください。

子どもにやってみせるときの5つのコツ

「もっと上手に教えられるようになりたい」と思う方は多いと思います。でも、子どもと一緒にいるときには、**教え方の上手い・下手はあまり重要ではありません。**

やってみせるときの5つのポイント

1 子どもがわかる早さで

2 動きを細かく分けて

3 子どもの興味を意識して

4 声かけと動作は別々に

5 なにより、大人も楽しみながら

それよりも、**「いまの自分の伝え方ではきちんと伝わっていない」ことを、大人がわかっていることが大事。**その上で毎日ちょっとずつ、子どもと一緒にできるようにしていけばＯＫ。

実際にやってみせるためには、５つのコツがあります。

上の図はモンテッソーリ教育で先生が提示するときの心得。いわば、子どもにわかりやすくやってみせるコツです。

いまは、YouTubeなどで提示の様子を見せてくれる動画もありますが、おうちモンテで子どもに見せるというときには、先生のように「カッチリ」やってみせる必要はありません。

教育施設で先生が見せるやり方は、茶道のお作法みたいなもの。暮らしの中でそこにこだわりすぎると、かえって不自然になってしまいます。

そのかわり、「どんなふうに子どもを観て、どんなふうに伝えていったらわかりやすいのか」に注目して動画をみてください。親ができることのエッセンスとして取り入れることで、教えやすく、子どもが理解しやすいかかわり方ができるようになります。

たとえば、**大人の目線や間のとり方、話す早さや、言葉の短さな**

ど。**あるいは、子どもを待つ長さもある**かもしれません。

「子どもが理解できるように見せるには、大人が思う以上にゆっくりで、スモールステップを踏む」ことがつかめてくると、実際にやってみせるのが上手になります。

子どものしていることをマネしてみる

「いくらやって見せても子どもができるようにならない。理由がさっぱりわからない」というときもあります。そういうときには、**子どもがしていることを少しマネしてみる。**あれ？動きが違うな、というのがわかりやすくなります。

繰り返しお伝えしていますが、モンテッソーリでは子どもはできない人ではなく、「やり方を知らないだけの人」と考えます。体が思い通りに動かないからどこかでできなくなっているので、動きをマネしてみることで、教えるときのポイントが見えてきます。

できないことを言葉で指摘しても、できるようにはなりません。動

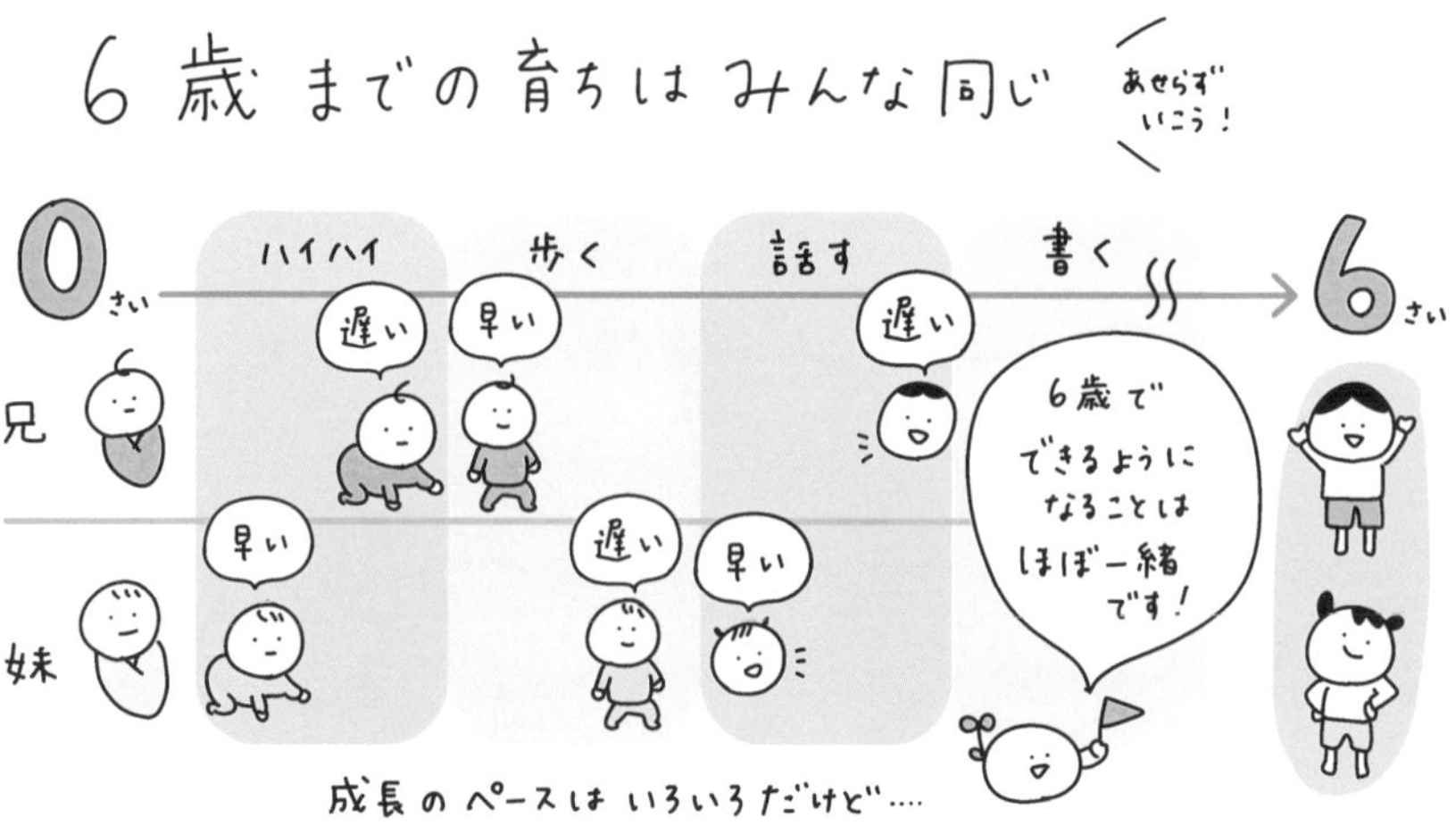
6歳までの育ちはみんな同じ
あせらずいこう！
0さい
6さい
ハイハイ
歩く
話す
書く
兄
妹
遅い
早い
早い
遅い
早い
遅い
6歳でできるようになることはほぼ一緒です！
成長のペースはいろいろだけど….

きをともなうものなら、**「どこの動作で困っているんだろう？」**という視点で、知的な理解なら、**「どこがわかってないから困っているんだろう？」という視点で眺めてみてください。**

「うちの子、できないんです……」は、変えられる？

最近の子育ての風潮では、「小さいうちからできるだけ早く、できるだけ多くできるようにしていかなくては」という風潮があるように感じます。

でも、この本で何度もお伝えしているように、子どもの成長そのものは、急いだからといって「飛び級」みたいなことは起こりません。しかも、どんなになにかを先取りしても、**だいたい6歳までにできることはみんな同じです。**

一人ひとりの子どものペースがあり、あるときは早かったり、あるときはのんびりだったりする。そこが個性でもあります。大人がその子のペースを大事にして暮らすと、子どもが小学生や思春期になってからも、良好な関係を築くベースになります。

とくに初めてのお子さんで、ちゃんと育てなくてはと思うと、つ

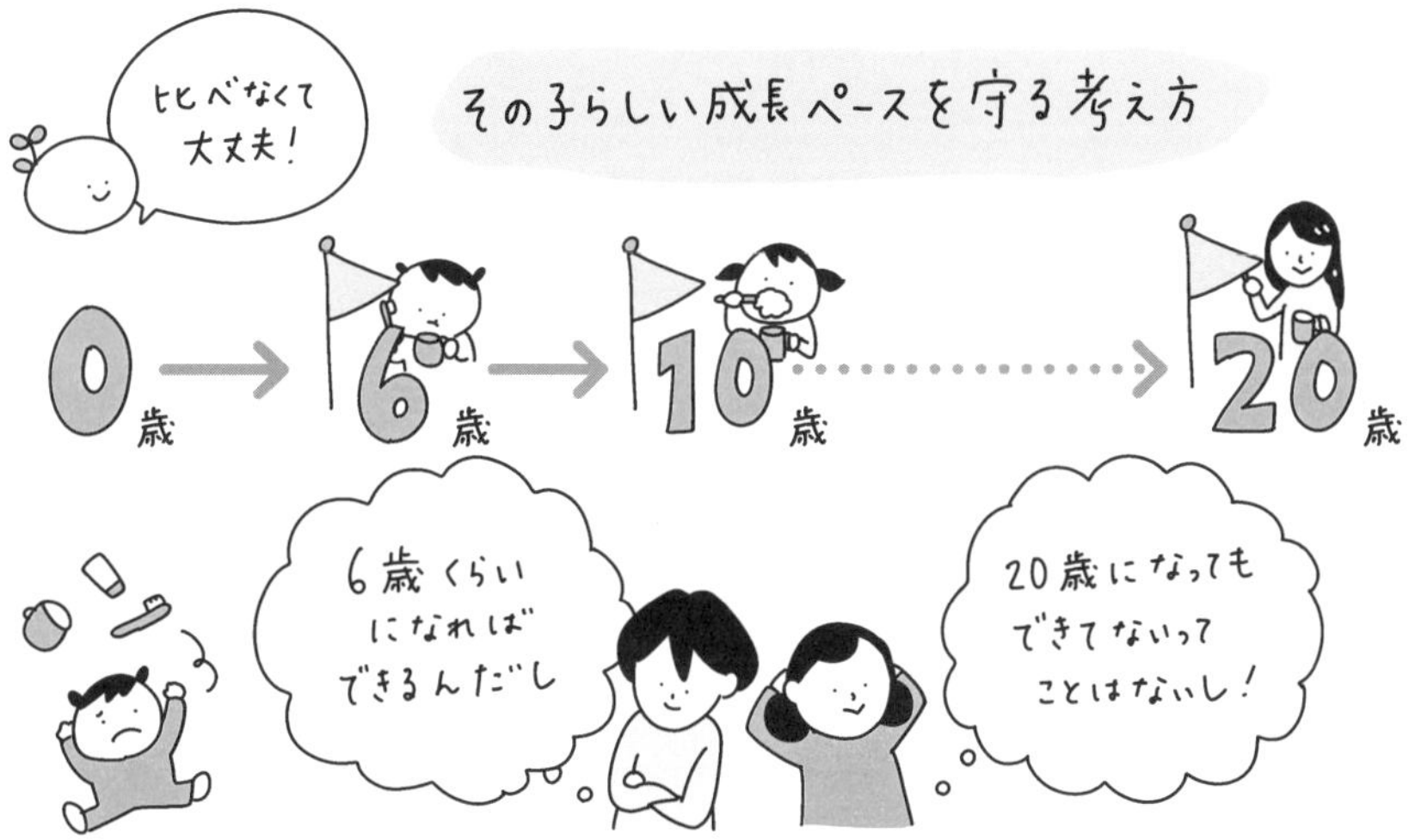

い同年齢の子と比べて、一喜一憂してしまいがちですが、「うちの子はうちの子」と思って、比べないことです。

どうしても気になるときは、子どもが20歳になってもできないことか？と思ってみてください。日常生活に必要な一通りのことが6歳、あるいは20歳までにできない子はほとんどいません。**いまできないことは、「いま」できないだけ。ご自身にも、お子さんにもダメ出しをしないようにしてほしいと思います。**

第3章では、モンテッソーリ的環境を整えるコツのお話でした。なにをどうする、と細かくこだわるより、親子で暮らしやすく、子どもにわかりやすい暮らしの環境をつくる。できるだけシンプルにすることが差になります。ぜひやってみてくださいね。

続く第4章では、いよいよ何をしたらいいの？という悩みに迫ります。教具がなくても、モンテッソーリ園のように子どもの能力を伸ばし、集中や自尊心を高めるおうちモンテの方法についてご紹介。

第４章

「教具」を正しく知って
おうちで生かす

「教具」って、なんですか？

モンテッソーリ教育には、教具とばれる道具があります。

とくに幼児の教具は、家で日常に使うようなものから、知育のオモチャに見えるもの、あるいは「算数や国語って、こうやって教えるのか」といったものまで、数にして100以上にもなります。

モノがあると、それで子どもを「賢くできる」ような気がして、安心しますよね。でも、「家に教具がないから」モンテッソーリができない。教具を1つ2つ買ってみたり、SNSで真似っこして作ってみたけど、子どもがしない……と悩む方もたくさんいます。

でも、みなさん、ちょっと勘違いしています。おうちモンテは教具がなくても大丈夫！　そもそも、一番大切なのは「子どもがそのときやりたいことを、繰り返しできるようになっているか」なんです。

親の「お悩みあるある」チェック

教具がわからない！

- □ 教具がないからモンテッソーリができない
- □ せっかく用意したのに子どもがやらない
- □ おもちゃも、教具っぽいものもすぐに飽きる
- □ ネットを見て自作したけど、興味がなさそう
- □「うちの子になにがいいのか」がわからない
- □ 自作する自分に疲れる。でも、なにもしないとそれはそれで焦る
- □ そもそも子どもとの時間が苦痛だ
- □ “教育”にいいものをさせたい
- □ 好きなことをさせているはずなのに…時間が長くてイライラ
- □ 忙しいから、好きなことをさせてあげる時間がなくて自己嫌悪

「教具やおもちゃで知育にいいものを与えなくちゃ…」という思い込みを手放すと、普通の暮らしの中でできることが見つかります。

親子だからできるモンテッソーリ
＝
知育だけではなく、人が育つ全部がある

教具で「賢く」なるわけじゃない

最近、高いお金を出して教具を購入し、おうちモンテをしようとする方が増えていると感じています。

母親としての私はその気持ちもわかりますが、教育者としての私は、そこにを疑問を感じます。なぜなら、おうちで「ママ流」で教具を教えられたお子さんは、単に「作業」としてやっている感じを受けることが多く、あまり役に立っているように思えないからです。

教具は、モンテソーリ教育のプロによって開発された、専門的な道具です。「子どもがどんなスキルや理解を獲得するか」という目的がはっきりしていて、子どもが教具を使いながら感じ、考えることで「できた」「わかった」を体験していくことができるつくりになっています。

そして、親が思っている以上に、**子どもが意識の深い部分で理解していることもあるため、目に見えて「できた」とか「これがわかった」ということが見えにくい部分**もあります。

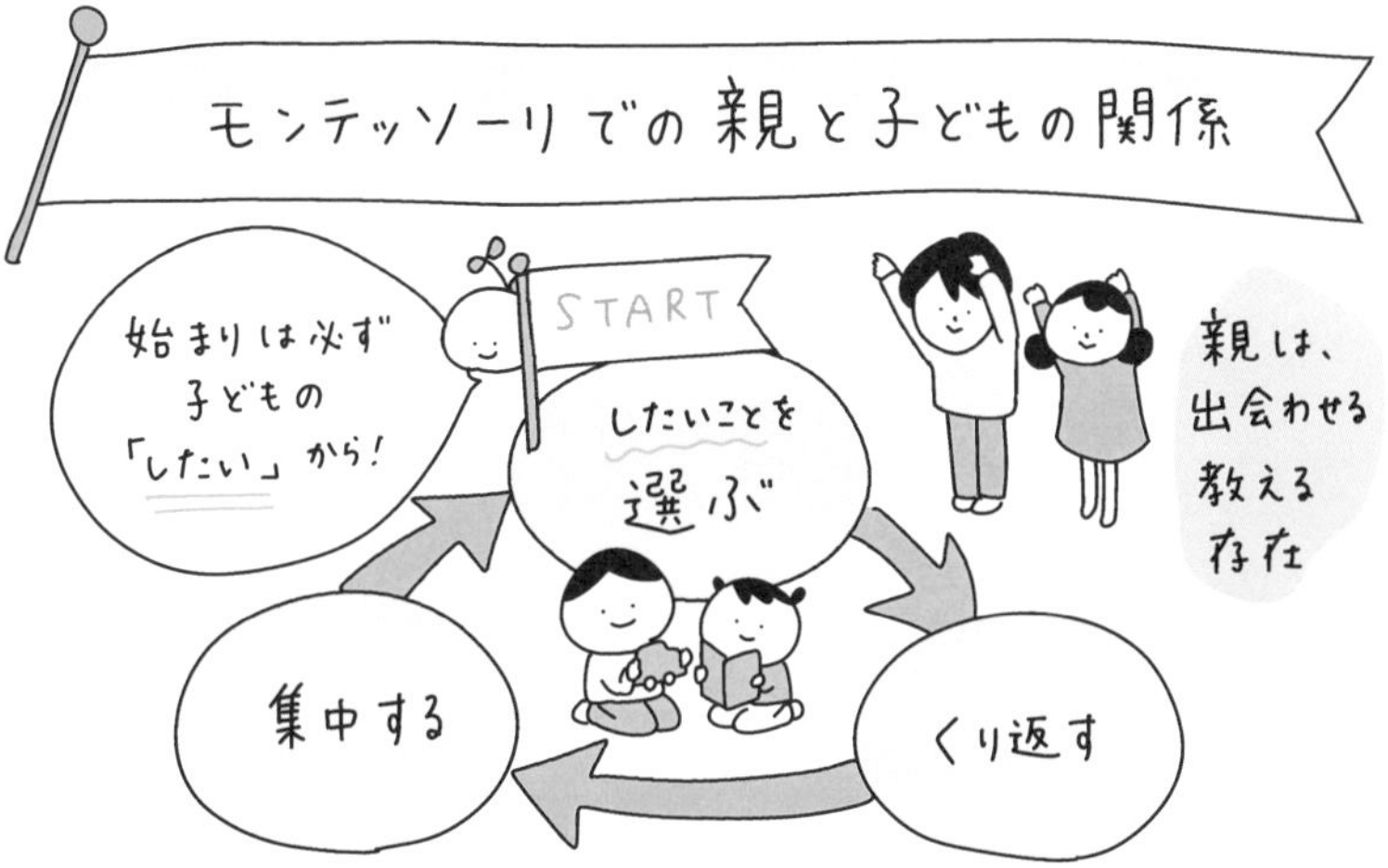
モンテッソーリでの親と子どもの関係
始まりは必ず子どもの「したい」から！
START
したいことを選ぶ
親は、出会わせる教える存在
集中する
くり返す

そしてここが大事なのですが、教具があるから子どもが賢くなるわけではありません。教具によって子どもがやりたい・できるようになりたいことが**満たされ、満足したその先に、子どもの賢さがあるのです。この順番を間違えないほうが子どもが伸びます。**

教具はあってもなくてもいい

教具を使っても使わなくても、**おうちモンテのゴールは、親子だからこそできることや、得られるものを大切にすること。親子で一緒に育つことです。**

子どもの人生の中で、おうちの役割は教育だけではありません。そして、仕事のようにタスクを積み上げていく「カッチリ」が人を作るわけでもありません。

親子で泣いたり笑ったり、あれこれ試行錯誤しながら、**「知育」と「しつけ」と「家族のコミュニケーション」が混じり合うのが家族の暮らし。それを豊かに、子どもにとってベストなものにしていく**のがおうちモンテッソーリです。

子どもは、興味がないことはしない

教具を与えてもやらない／すぐやめる／できないをどうする？

親が教具を用意しても、子どもがやらない。すぐやめてしまったり、できないというとき。そこには、たった一つだけ理由があります。それは、**「子どもが興味を持っていない」**ということ。

モンテッソーリ教育の活動はすべて、「子どもがなにかを選ぶ」ことから始まります。

なにかができるようになりたい、これがどうなっているのかを知りたいというのが子どもたち。教育施設だと、子どもたちは湧き上がるような向上心や好奇心とともに、自分の「いま」に合った教具をとても自然に選びます。あるいは子どもがやっていることを観て、「その子に合いそうな」教具を先生が紹介します。

これをおうちでマネしようとすると、「親がなんとなく気に入った教具を用意して子どもに与える」ことが多くなります。

するとたいていの場合、子どもの興味＝やりたいことに合わないことが多いのです。たまたまマッチしたとしても、子どもがそれを

子どもの世界におじゃまする

入っていい？
おじゃまします
子どものMy world

使いたい時期が過ぎると見向きもしません。

繰り返しますが、**なんといっても、子どもの興味が第一。子どもは、興味のないことは自分からはやりません。**たとえば、親がそばにある水を飲ませようとしても、子どもが牛乳を飲みたかったら、飲まない。興味もそれと同じなのです。

子どもの興味をどうやって見つけるか

ここで、一つの疑問が浮かびます。

「じゃあ、子どもの『やりたい』はどうすれば見つけられるの？」

これも繰り返しになりますが、子どもの様子を「観る」ことに尽きます。モンテッソーリ教育では「子どもを観察する」と言いますが、おうちモンテでも、**子どもがなにをしているのか？「観る」ことから始まります。**

観察について、くわしくは敏感期を扱う第2章でお話ししていますが、子どもになにかを教え与えるという上からの目線ではなく、「子どもの世界にお邪魔したつもりで」見ていると、少しずつ見つかるようになってきます。

「したい」が自己肯定感にもつながる

おうちモンテに教具がいらないのはなぜ？

突然ですが、私が「おうちモンテに教具は必要ない」と考える一番の理由、なんだと思いますか？

それは、「せっかく（しかも高いお金を出して）買ったんだから……」と親が考えてしまいがちだからです。

そうなると、やらない子どもにヤキモキしたり、この子にモンテは向かないのかと思ったりして、ついつい教具に子どもを合わせたくなってしまう。実際、そんなお話もよく伺います。

繰り返しますが、**教具がなくても大丈夫。「子どものやりたいこと」は、日常生活のなかにたくさんある**からです。

これは、私の教室に通う1歳の男の子のママ・Oさんの話。

昨日、息子が皮をむいたみかんを食べずにぎゅーっとつぶして、果汁をしぼり出していました。

子どもの「していること」を観察して、会話してみよう
汁がいっぱいたまったね
みかんのジュース、おいしいね
ニギニギできてすごいね
みかんってやわらかいよね

握りつぶしてみたいのかな？と思って、汁がボウルにたまるようにしてそのまま見ていたのですが、家にあったみかんを全部しぼってその日は終わりました。

またやるかなと思い、新しくみかんを買ったのですが、次の日に新しいみかんを見ても、もうやりたがりませんでした。


みかんを手でにぎりつぶすことも、汁がたれるのも、ご家庭によっては止めたくなる気持ちもあると思います。

でも、1歳児は、そもそも握る力をつけたかったり、つぶれていくみかんの柔らかさや、そこから汁が出ること、そして汁そのものの香りを「不思議」で「楽しい」こととして感じています。つまり、**体と五感を使ってみかんの世界を知っている最中なのです。**

〇さんのお子さんは、〇さんが止めなかったことで十分にそれを堪能することができました。そして満たされたからこそ、次の日はしなかった。とも考えられます。

もちろん、汚れるとか、もったいないという理由で子どもの行動を止めることもできます。でも、止めないことでみかんを握ったと

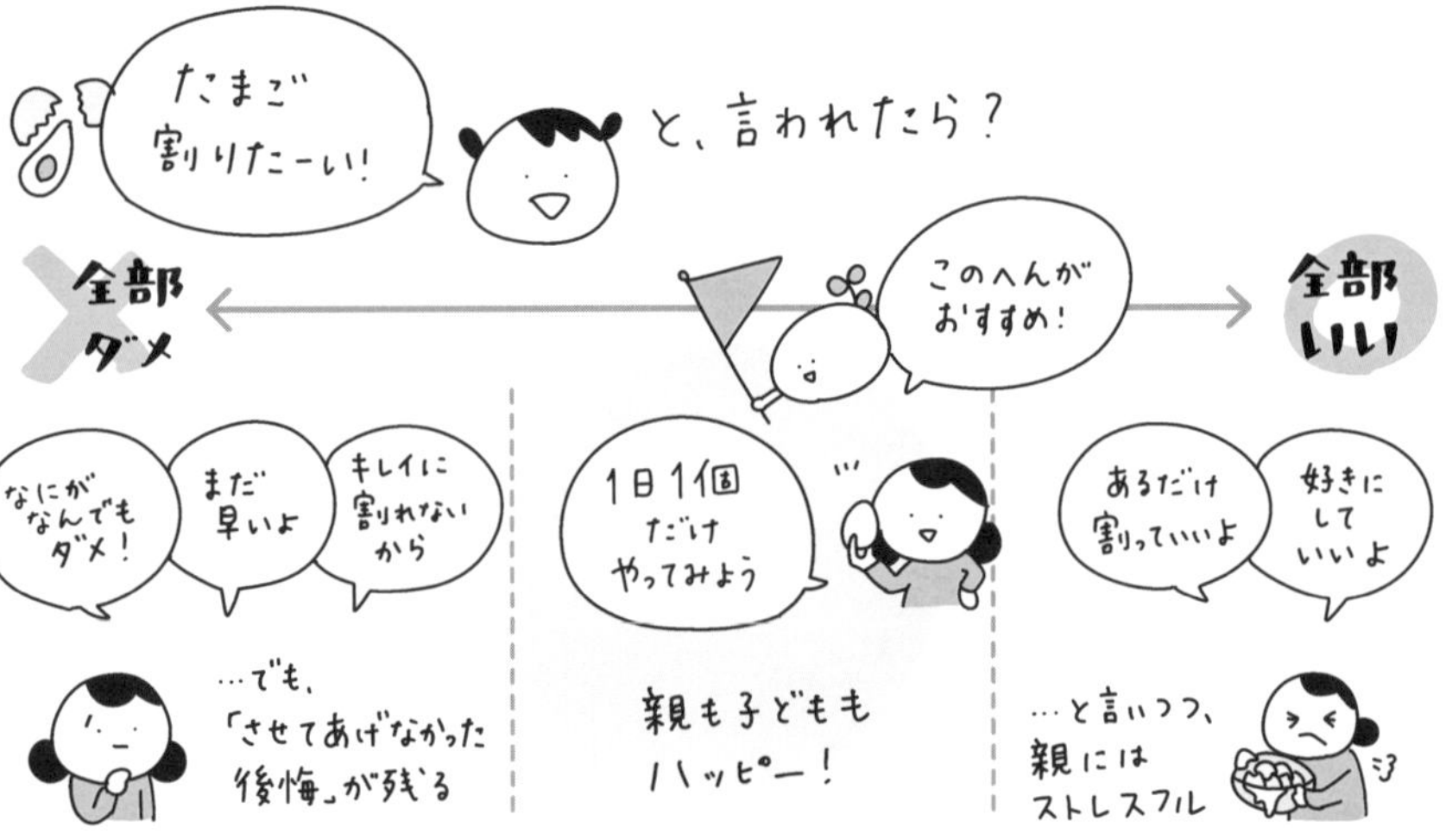
たまご割りたーい!
と、言われたら?
全部ダメ
このへんがおすすめ!
全部いい
なにがなんでもダメ!
まだ早いよ
キレイに割れないから
1日1個だけやってみよう
あるだけ割っていいよ
好きにしていいよ
…でも、「させてあげなかった後悔」が残る
親も子どももハッピー!
…と言いつつ、親にはストレスフル

きの甘酸っぱいにおい、ベタベタする感じ、あるいは絞った汁の色、もったいないからためておいてジュースとして飲むことなど、止めたときと比べて何倍もの体感を得ることができますよね。

そして**体感と一緒に、親子の会話が生まれます。親子の会話が多ければ多いほど、子どもの五感と記憶に経験として刻まれていきます。これがのちのちいろんな知識や発想につながっていくことは、脳科学などでも言われています。**

ときどき、「子どもに好きなことを全部させているのに、イライラしてしまう」という方もいますが、**全部でなくても「親が自分の感覚で許せるもの」はさせてみる。**そして、**許せるものを少しずつ増やしていく。それは、親にできる最高の環境の整え方です。**

ちょっとしたヒントを出してあげること、感想や気づいたことなどを親子で一緒に話してみるだけで大丈夫。教具がなくても、十分に子どもの世界は広がります。

「ふだんのくらし」がそのままおしごとになる
毎日の生活を
丁寧にすごすだけで
たくさんのことができます

教具を使わないかわりに、なにをしたらいいか

「モンテッソーリ教育＝教具」という考え方を頭からいったん消してみると、いろいろなことが見えてきます。

もともとは、体で覚えていく子どもたちのために、一つのことに特化して繰り返しできるようにしたモノが教具です。

大事なことは教具があることではなく、**「体を使いながら、シンプルに繰り返しできること」**。家にあるものならなんでもいいので、**「やっていい」ものがあることが、子どもを満たしていく**最初の一歩です。

だからおうちモンテでは、「子どもがいま自分から進んでしていることを繰り返しさせてあげる」だけでOKなのです。

時間的に、あるいは場所的にむずかしければ、していること全部ではなくどれか一つを、大人が、まずカンタンの集まりに分解してみる。するとそのどれか一つを、できるときに、できるところでさせてあげることができます。

大事なことは、「大人が子どものスペースと時間を守ってあげるこ

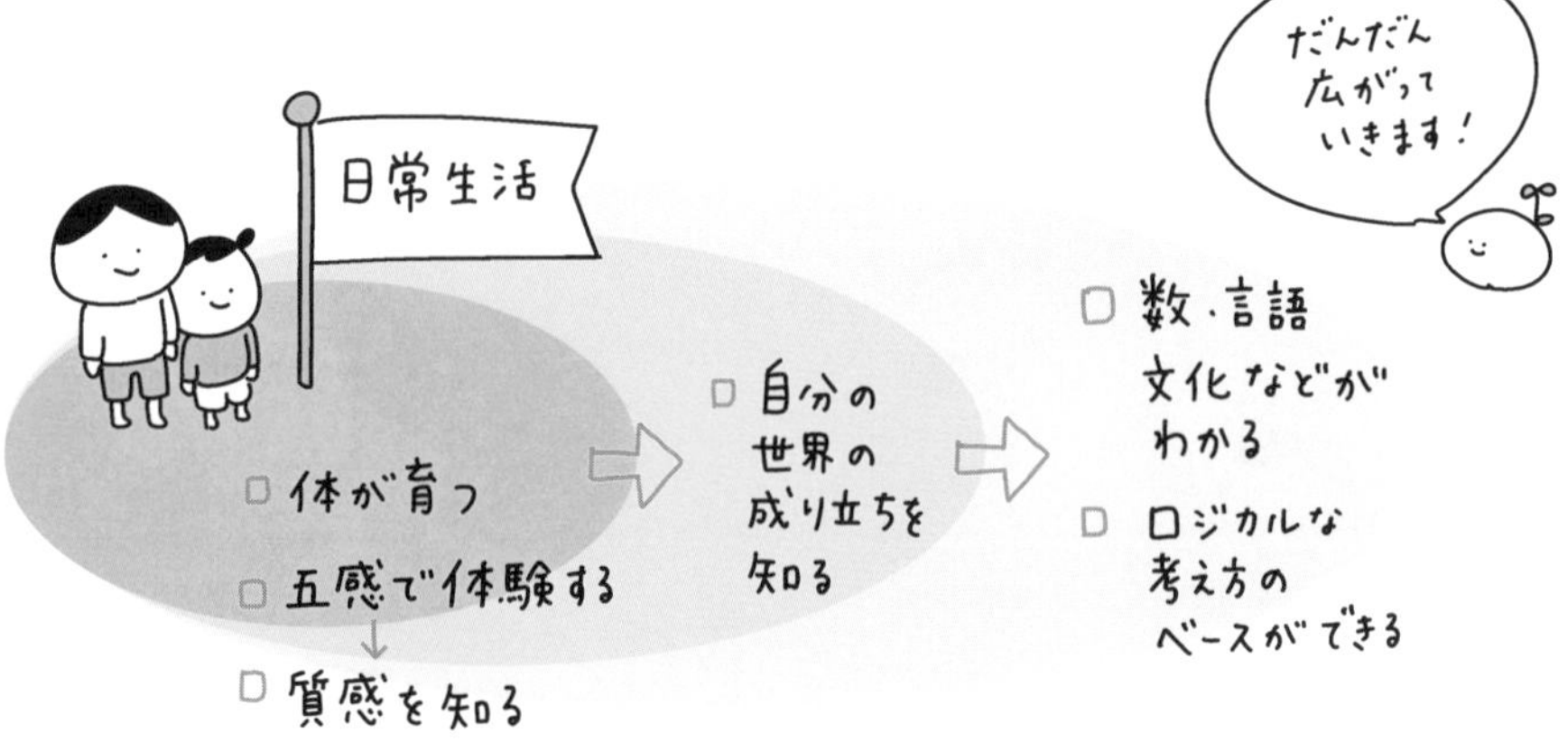
だんだん
広がって
いきます！
日常生活
体が育つ
五感で体験する
質感を知る
自分の
世界の
成り立ちを
知る
数・言語
文化などが
わかる
ロジカルな
考え方の
ベースができる

と」と「子どもがくり返しできること」。おうちモンテのコツはこれにつきます。

やみくもに環境を整えようとしたり、「教具＝すること」を用意することで親が頑張りすぎるより、子どもがいまやっていることからどうするか、を見つけてください。

教具で子どもの時間を埋めるのではなく、日常生活の中で子どもが自分のことをできるようにする。その方が6歳以降、伸びる子になっていきます。

子どもに「おしごと」をさせるにはどうすれば？

モンテッソーリ教育では、教具を使った活動のことを「おしごと」と呼びます。

未就園児や、幼稚園の年少さんがモンテッソーリの園やお教室ですることは、スプーンでなにかをすくって移したり、洗いものや掃除など、日常生活の延長であることがたくさんあります。

それらをあえて「おしごと」と呼ぶのは、施設ではそれが教具と

して置いてあり、繰り返しできるから。そして遊びのように「たまたま」するのとはまったく意味合いが異なります。**やりたくてやっていて、やりたいと思ったらいつでもできて、いつやめてもいい。そもそも、やらなくてもいい。そんな選択の自由もあるのです。**

でも、おうちモンテで大事にしたいのは、日常の生活そのもの。子どもが自分でできることを増やしていくことです。子どもが、やってみたい。よりうまくできるようになりたいと思ったら、いつでも何度でもチャレンジできる。そして、いま体験していることを親子で会話することが大事です。

そういうと、なにをしていいのかわからないとか、会話がうまくできないからおしごとで教えたいのだ、という方がいますが、「おしごとらしきもの」を家庭で頑張るより、日々の生活を「おしごとのように」わかりやすくしてくり返す方がずっと、子どもにとっては有意義です。

与えるモノより、親が与える影響に気をつけてみる

もう一つ、おうちモンテで子どもがなにかをするときに気をつけたいのは、与えるモノではなく、大人のかかわり方です。

この本の始めの方で「模範的な大人」とはどんな大人かをお話ししました。では、どうしたら模範的になれるのかというと、それは**「自分のふるまいに自覚的になること」**です。

特におうちモンテでは、これがポイント。

- **子どもの間違いを指摘しない**
- **子どもの時間と場所を守ってあげる**

そして、自分がどうしたらそうできるのか、大人が知っておくこと。先生と違って、おうちではあえて意識しないと、親が「すべき」と思っていることがどうしても優先されがちです。

子どもは時間と場所が守られていれば、ひとりでも自然にやりたいことをやっています。それを大事にしてあげること。もし大人に

観察するときのポイント

どんなものを
使っている？
同じことが
できるのはなに？
パパの
本…
このハコ
積んでみる？
形、大きさが近いことが大切

とって都合が悪いことなら、子どもを満たせる代わりのものを用意する。親にできるのはそれだけです。

そのためには、大人が子どものしていることをよく「観る」ことに尽きるのです。

子どもを「観る」コツは２つあります。

- **どんな動きをしていて、どんなものを使っているのか？**
- **その中で困っているところはどこか？**

そうしたら、代わりのものを用意することもできます。それがもし、できないことを手伝うためだったら、次のこともやってみます。

- **言葉で説明するより、具体物にする**
- **いくつかの動きが混じるなど、複雑なものは、一つひとつバラして簡単の集まりにする**
- **要素が混じっていたら、別々にする**

あなたが思うようにはすぐに、カンペキにはできないかもしれま

大人の「べき」思考を手放す整理ポイント

私は…
どうしてイヤなんだろう
□ 誰がイヤ？
□ どの程度イヤ？
□ どうすれば
イヤじゃなくなる？
…など
その行動は…
どうしてダメなんだろう
□ なにを解決すれば
ダメじゃなくなる？
□ 別のものを使えば？
□ 違う場所なら？ …など

せん。でも、親子の時間はたくさんあります。毎日ちょっと、少しずつすることが大きな差になっていきます。

ここでも、第2章でお伝えした10秒ワークが役に立ちます。

「べき」を手放すにはどうしたらいいか考えてみる

次は、「ダメダメ」と言いたくなる方のための解決法。

親というものは本能的に「管理する」という目線で子どもを見てしまうもの。たとえば、子どもが水の入ったコップに手をかけたら「こぼすから止めなくちゃ」と反射的に手を出したり、「○○はやってはダメ」とか「○○はこうするべき」など、「べき・ねば・ならない」という感覚が瞬時にやってきます。

それを止めることは、とってもむずかしい。でも、その「べき・ねば・ならない」などでイヤな気持ちになったら、自分自身に次のように問いかけてみることです。

- **なんで止めたんだっけ？**
- **どうしたらできるだろう？**

自分を責めないことも大切です
また やめさせて しまった！
反射的な感情はコントロールしづらいもの
みんなそう！
自分を責めず、子どもが何をしたかったか考えていこう

そうすることで、子どもと自分への理解が少しづつ、だけど着実に深まっていきます。

教具がなくても「できる子」になる方法を知りたい

「わが子の心と体と知性、どれもしっかり育てたい」というのは、親の正直な願いですよね。教具を使ったり、モンテッソーリ教育を受けさせたいという方の多くも、そもそもはこの気持ちが強いからだと思います。

そんなあなたに知っておいてほしいのは、**「子どもの『心』と『体』と『知性』は一緒に育っていく」**ということ。

そんなことをいうと、「テストの点を取る知識と知性はどう違う？知性ってどう育てればいい？」なんて言われそうですが、学校の勉強のようにただインプットだけするのとは違う、ということです。**10歳までは、むしろインプットのための素地を伸ばす時期。**

子どもは、なにげない暮らしの中で体験したことや話したことから育っていきます。そして、**「のびのび育てる」と「賢く育てる」は、**

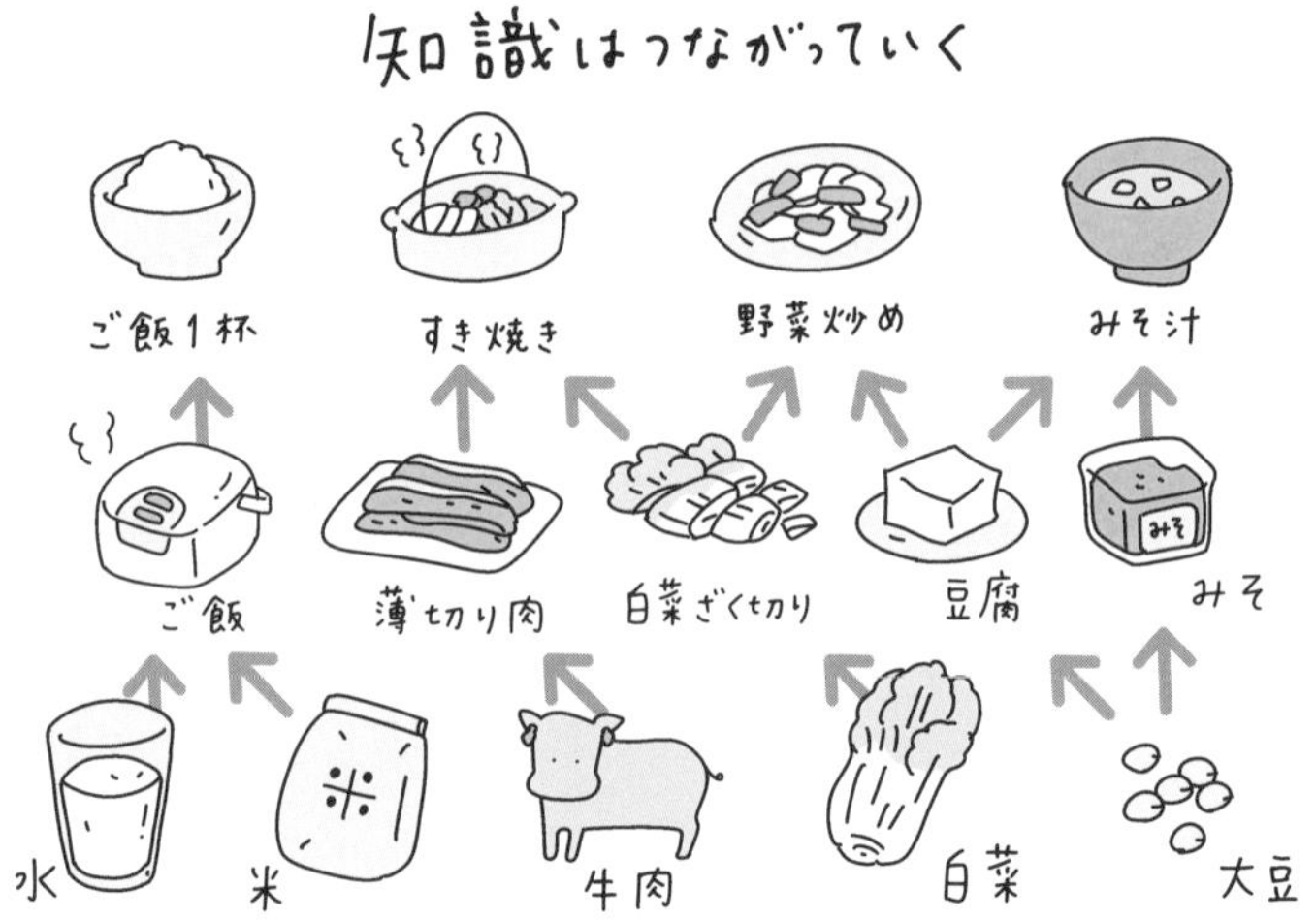
知識はつながっていく
ご飯1杯
すき焼き
野菜炒め
みそ汁
ご飯
薄切り肉
白菜ざく切り
豆腐
みそ
みそ
水
米
米
牛肉
白菜
大豆

じつは一緒にできるのです。

少し前に文部科学省が、「子どもの頃の勉強以外の体験は、子どもにとって有意義である」という調査結果を発表しました。

この、勉強以外の体験とは、実際になにかしたこと＝体験と体感。そしてその体験について、誰かと話したりして、その子に残ったことです。

「子どもたちの知識と知性が育つ」とは、とってもシンプルに言うと上の図のようなことを知っていくということ。

特に0歳から10歳くらいまでの子どもは、連想ゲームのように知的なつながりを広げていく時期です。これを勉強として机の上で覚えていくより、日々の暮らしで身につけるほうがずっとカンタンだと思いませんか？

だからこそ、毎日の暮らしのなにげないことを自分でやってみる。やってみての体感を知る。そして親子で話していく。

五感で会話！
見た・聞いた、
感じたことを
たくさん話そう
おひさま
あったかい
ねー
風が吹くと
気持ちいいね
あのワンちゃん
大きいね！
このお花
小さいね
日かげは
涼しいね

そこには、知識になるものばかりではなく、やってみたり話したときに感じる、嬉しさとか、楽しさ、こういうときはイヤだな、と思うような感情で知ることも含まれていきます。

モンテッソーリ教育でいう、「子どもは頭でなく体で覚えていく」は、体を動かして、まわりの環境から学ぶ子ども本来の姿です。その「学ぶ」は、じつにたくさんあるのです。

体で覚えるときには、五感がカギ

たとえば子どもとの会話で、目の前にあるものを広げるなら、こんなふうに五感も使いながら話します。

「水」って向こうが見えるね。色がない。無色っていうんだって。においがしないね。さわってもベタベタしないよ。おふろのお湯とコップの水はもともと同じ水だよ。

「お米」って、つぶつぶしているね（見る・触る）。つぶつぶって、とっても小さいこと。お米は水を入れて炊くと、ごはんになるよ。

経験と言葉がその人をつくる
都会
といえば？
ギラギラ
刺激的
派手
流行
だまされる
こわい
空が狭い
ビジネス街
この差を生むのが
経験と言葉！

「お肉」って、ダシになるよ。鶏、豚、牛以外でも、いろんなお肉がある。これは、薄切り肉。この前食べたお肉は、厚かったよね。同じ豚のお肉だけど、味も違うんだよ。

など、「〇〇はどういうもの」と、勉強するみたいに一度に話すのではなく、気がついたときに一つでいいので話してみる。

子どもたちは毎日の生活で、五感で感じるすべてのことを、無意識のうちに吸収していきます。体感するということは、文字通り体そのものを使って対象を「感じる」ということ。

感じて吸収しているところに言葉をつけてあげることが、心や知識、世界の見方を育てていきます。考えるのは、そのあとですね。

そう考えると、教具や教室は子どもたちの知りたい・できるようになりたいに応えるものではありますが、家庭のかかわりが多い子のほうが断然伸びやすい。そして、習いごとや塾に忙しく通わなくても、日常生活に注意を払うことで、子どもたちはたくさんのこと

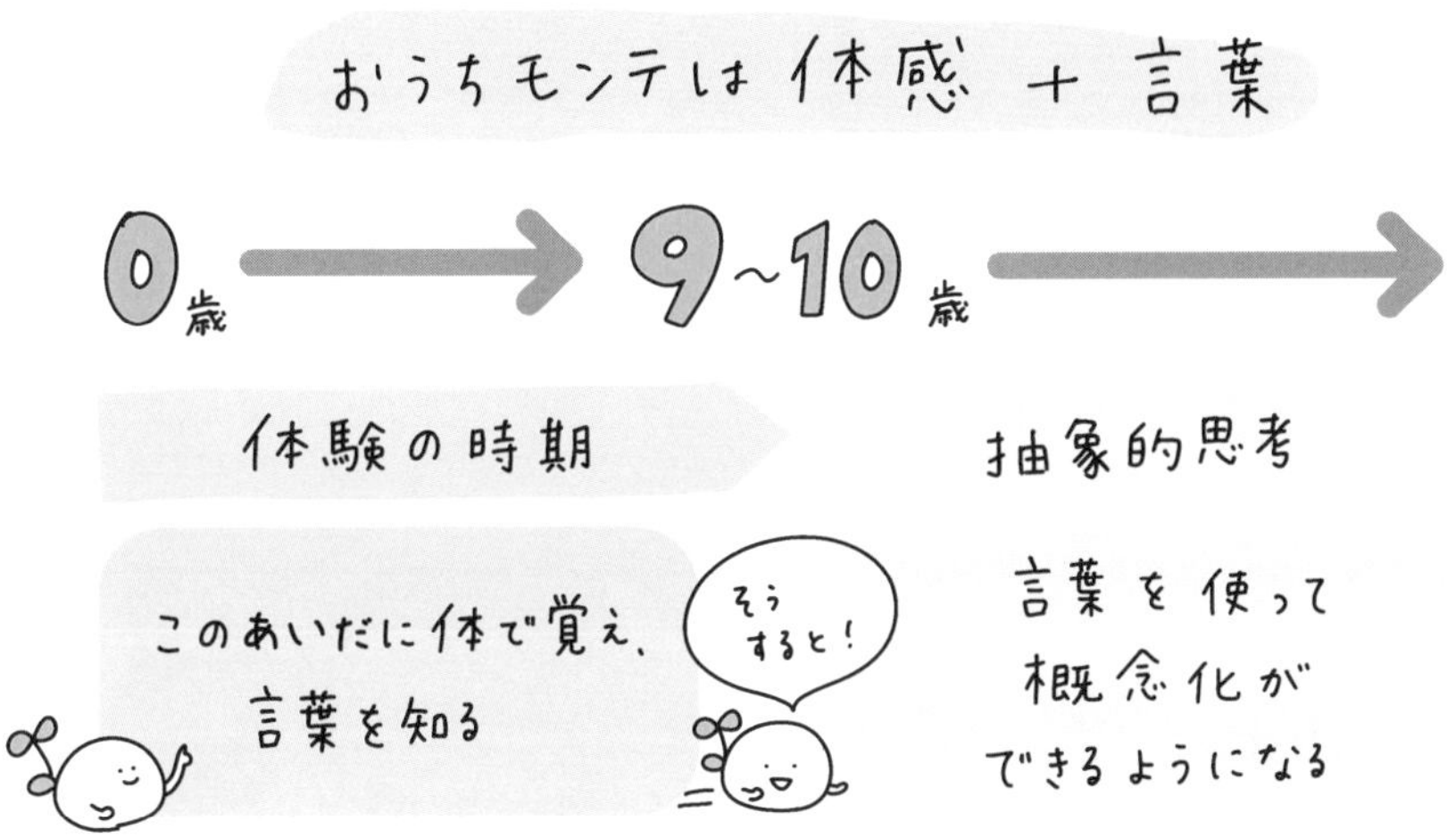
おうちモンテは体感＋言葉
0歳
9〜10歳
体験の時期
抽象的思考
このあいだに体で覚え、
言葉を知る
そうすると！
言葉を使って
概念化が
できるようになる

を受け取っていくことになります。

おうちモンテは「言葉＋体感」にこだわる

さて、ここまで何度も私が「体験と体感と、会話が大事」と繰り返しているのには、わけがあります。それは、せっかくなら10歳以降に子どもたちが伸びるように育ってほしいからです。

その**「伸びる」は、アタマが良さそう、といった漠然としたものではなく、文部科学省が新しく出している学力の定義や、いまの時代に合う「伸びる」であってほしい**というのもあります。

「体験して体感することと、会話すること」は幼児の育ちの基本で、文部科学省の求める学力にもしっかりつながります。

人の発達は連続していて、10歳までの育ちは、実体験をどれだけ持っているかが、その後の育ちの差を生みます。

体験するから体感が生まれ、会話があるから体感がその子のなかに残っていきます。やがて10歳を過ぎたころから、子どもたちは、それまで得たものをより抽象度の高い言葉でまとめたり考えたりする

親子の会話が子どもをつくる！
いつも注意ばかり
早く食べちゃいなさい
残さないの！
……
……
たとえばごはんでなに話す？
いつもにぎやか
ニンジン小さく切ってあるよ
カレーライスほかほかだねえ
じゃがいもホクホクだ
おいしい！
ゆげでてるー

「概念化」の力を発達させていきます。

つまり、**10歳までの経験と感じたことから知識を得たり、言葉を知ることと、それ以降のものごとを体系化・抽象化していくことは、続いている**のです。

10歳、つまり小学4年生以降の学習や現在の中学受験で問われる能力は、こうした概念に対する理解力を計るものでもあります。そこで力を発揮するためには、言葉を抽象化し、概念化していく前に体を使った経験、つまり体感と会話が欠かせません。

それが一番できる場所が家庭。家族での暮らしです。なにもむずかしいことをしたり、話す必要はありません。本当になにげない会話でいいのです。

たとえば、あなたのおうちでは、ごはんを食べながらどんな会話をしていますか？

「早く食べなさい」「残さず食べなさい」と言われることが多い食卓と、「ブロッコリーの緑って、きれいだね」とか「かぼちゃがやわらかく煮えたよ。今日のニンジンは薄く切ってみたんだ」などなど、子

あんなこと言ってたな
こんなこと教えてくれたな
何気なくても
子どもはうれしい！
会話はたくさん
心に残ります

どもの目の前にあるもの＝体感できるものを中心に会話が生まれる生活。どちらが子どもの知性を豊かにするでしょうか？ 言うまでもありませんよね。

以前、「うちの子が『動物』という言葉を知らなくてビックリしました」と、あるお母さまに相談されたことがあります。

でも、犬、猫、サルなどの名前を一生懸命教えていても、「それらをまとめて動物っていうんだよ」という会話をしたことがなければ、やっぱり知らないことはありえます。

あるいは、「動物ってね、お母さんのお腹の中から生まれてきたんだよ。あなたと同じだね」といった会話なども同じ。動物園に行ったからわかるものでもないのです。

大人が「普通に知っているよね？」と思うようなことは、じつは子どもはふだんの会話から知ることがほとんど。もし会話がなければ、知らないで育つこともあります。概念というのは、ある日突然アタマの中で湧いてくるものではないのです。

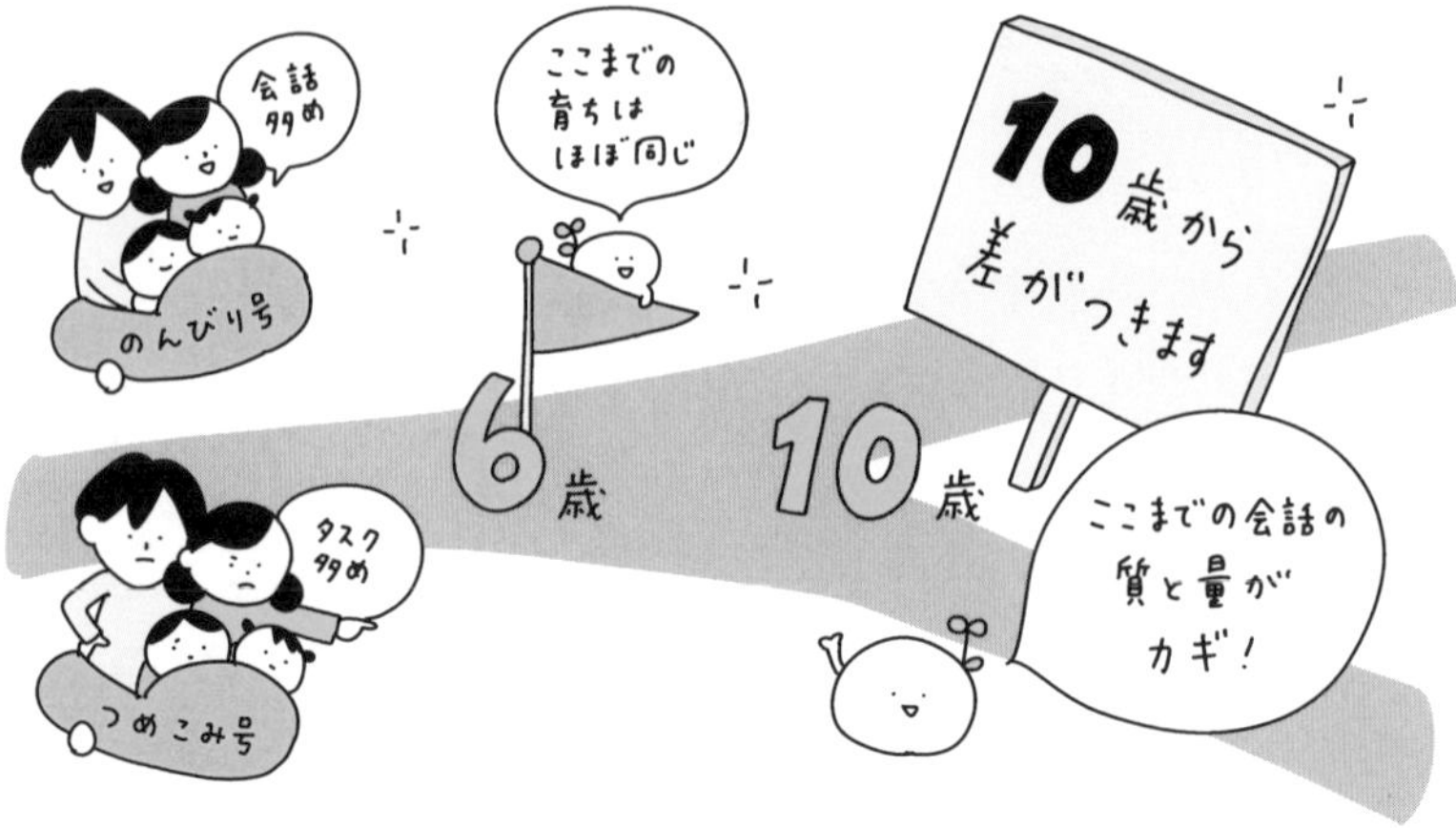

習いごと、体験教室……たくさん通わせないとダメ？

ここに、二人のお子さんがいます。

いろんな習いごとをしていて、土日は動物園に行くなど、とにかくお出かけが多いご家庭。

もう一つは、習いごとがある日もあればない日もある。土日も公園に行くくらいで、基本的にのんびりと、判で押したように同じ毎日を送っているご家庭。

6歳になったとき、どちらのご家庭のお子さんが伸びていると思いますか？

じつは、**6歳の時点で二人の成長はほとんど変わりません。差がつくのは、10歳になったころ。**「のんびり過ごしていたご家庭のお子さんの方が伸びていくことが多い」と言われていますし、私もそれを実感しています。詰め込みや先取りがいいわけではないのです。

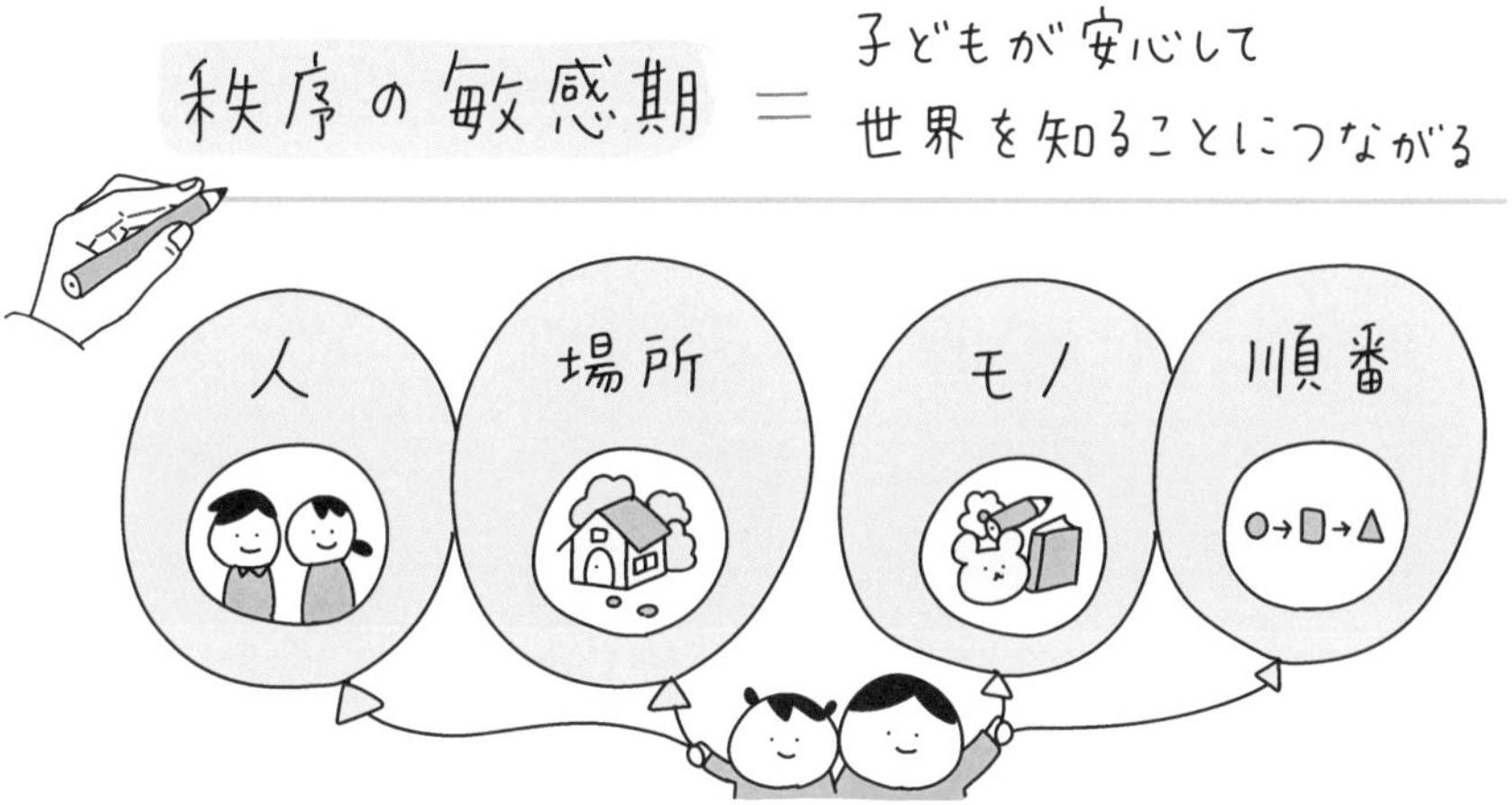
秩序の敏感期＝子どもが安心して世界を知ることにつながる
人
場所
モノ
順番

これには、ちゃんと理由があります。

これまでこの本でお伝えしてきた「幼児期から10歳くらいまで、**子どもが自分のまわりの世界を知っていく時期」というのは、少し専門的な言葉でいうと「世界の秩序**（ものごとのあるべき姿）**を知っていく」こと**と同じです。

モンテッソーリ教育の敏感期をもう少し細かく見ていくと、「秩序の敏感期」というものがあります。子どもによって、現れる時期や長さ、こだわりの強さは違いますが、子どもが「いつもと同じこと」にこだわる時期です。

この**秩序の敏感期はおもに「人、場所、ものの順番などがいつもと違う」と子どもが感じたときに、子どもが泣いたり怒ったりする形で表れます。**

対応するのは大変なこともありますが、子どもなりに自分の「いつも通り」という世界観（秩序感）を持っていて、その変化に敏感に反応しているだけなのです。

「どうしてそんな反応をするの？」と不思議に思うかもしれませんが、これも子どもの育ちと関係しています。

同じような生活の小さな違いを大切に。
PARA PARA....

秩序の敏感期は、世界を知る＆気持ちの安定に役立つ

幼児期の子どもの育ちの理想は、「毎日同じことをすることで、ズレの少ないパラパラマンガを作っているようなもの」だと考えてください。

朝起きてから、夜寝るまでの場面場面をコマにしたパラパラマンガを作る。それを毎日繰り返しています。何日分かのパラパラマンガが重なったとき、その違いが少なければ少ないほど、子どもの気持ちは安定します。そしてちょっとした違いに気づきやすい。逆に毎日違う生活＝違うパラパラマンガの積み重ねでは気持ちが安定せず、日々の「違い」もわかりにくくなります。

子どもは、小さな違いに敏感な人です。その違いに興味を持ったり、変化を変化として受け止めることで、少しずつ自分の世界を広げていくのです。

この「いつもと同じがいい」という人に、毎日違うことをさせたり、違う場所につれて行ったりすることはかえってマイナス。「自分のいつも」を作る前に、新しいものが入ってくるので、なかなか落

Point!
秩序の敏感期の子どもたちは…
同じことのくり返しがすき
くり返すことで安心し、伸びていく
TV
夜ふかし
外食
知らない人
知らない場所
毎日違うと整理できず落ちつけません
イレギュラーたくさんはNG！

ち着くことができません。その結果、自分の世界をつくる姿勢より、受け身でいる姿勢の方が強くなってしまいます。

くり返しになりますが、6歳までの育ちの差はあまりありません。そこから先は、**安定した日常で築いた「自分の世界」のある子どもの方が自分の世界を広げやすく、結果として伸びていきます。なにができるできないではなく、内側の世界の差です。**

ものを覚えることと興味を持って自分の世界を作っていくことは、似ていてちょっと違う。幼児期の詰め込み学習がよくないと言われる背景には、そういう理由があるのです。

体で覚えたこと（体感）＋言葉が未来を決める

大事なことなのでしつこく言いますが、幼児はまず体を使って感じたことから身のまわりの世界を知っていきます。

それは、見聞きしたことと、そこで話されたことなどから、自分が感じたことを「言語化」していくことでもあります。

おうちモンテにかぎらず、子どもとなにかをしたら、ぜひ、その

共働きにこそ、おうちモンテ！

時間が少なくても
親として、できることをしてあげたい…
の気持ちがあれば、うまくいく！
生活リズムが決まっているから環境としてはグッド!!

したことについての会話もセットにしてください。

話す内容は特別なことでなくて大丈夫。たとえば子どもを保育園に迎えに行った帰り道、「今日は空がきれいだねえ。秋の空は高いねえ」「うん。高いねえ」そんななにげない会話が、子どもの世界を少しずつ広げることにつながっていきます。

働いている親でも、おうちモンテはできる？

働いている親御さんは、子どもと一緒にいる時間が少ないことや、朝晩の生活の慌ただしさから、平日のコミュニケーションをあきらめていたり、そのことでちょっとした罪悪感をお持ちの方も多いように思います。

でも、そんなときこそおうちモンテを実践してほしいのです。かかわり方のポイントは、次の5つ。

- **子どもの自由な時間と場所を確保する**
- **子どもがなにかしているときは見るのではなく「観る」**
- **子どもの「やりたい・できるようになりたい」を叶えるために、必**

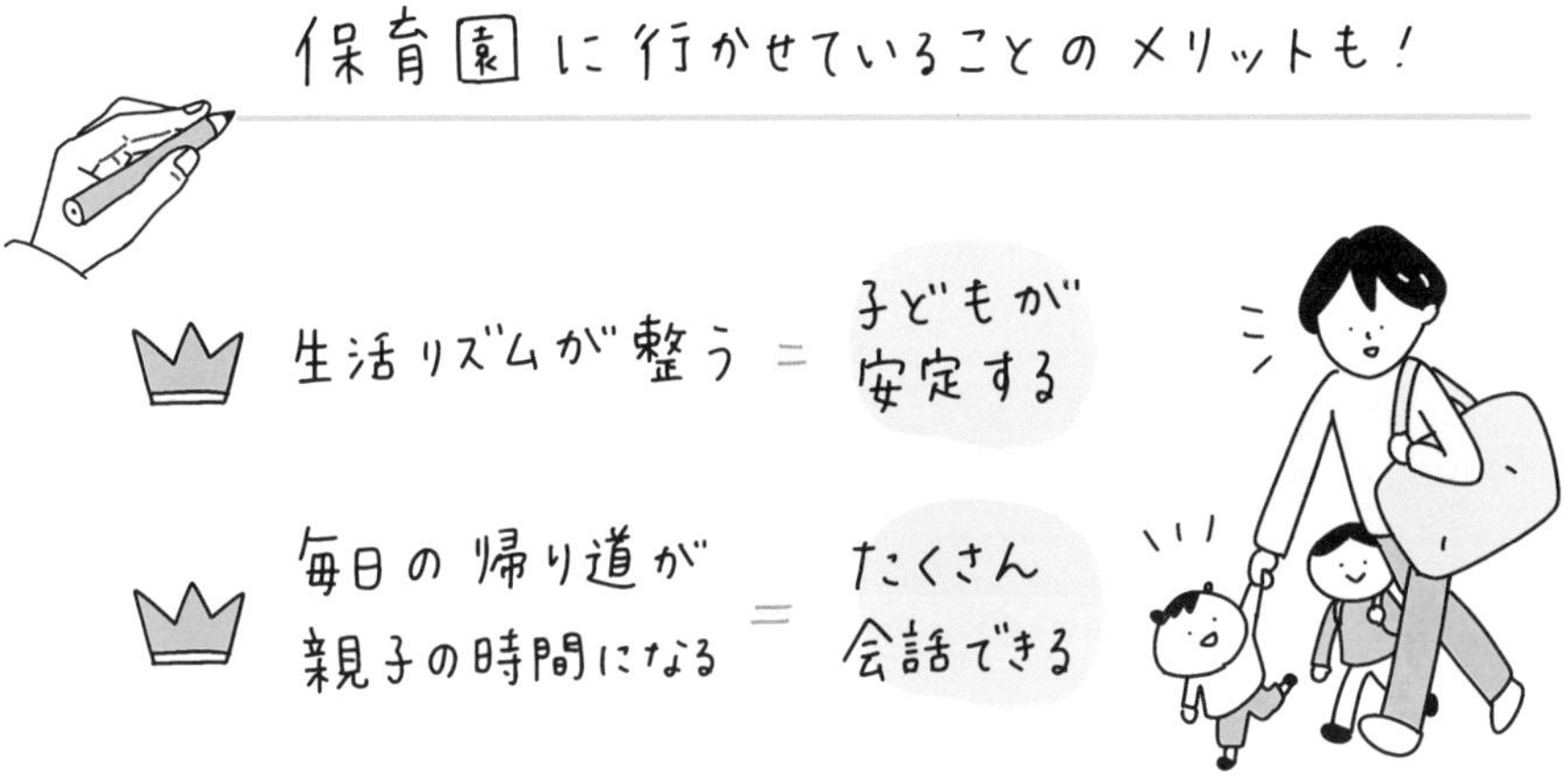
保育園に行かせていることのメリットも！
生活リズムが整う
＝
子どもが安定する
毎日の帰り道が親子の時間になる
＝
たくさん会話できる

要な道具や動きをできるだけシンプルにする

・**子どもが五感を使ったことについて、たくさん会話する**

・**日々の生活リズムを決め、なるべく崩さないようにする**

どうでしょう？　こうしてみると、**共働きだろうとそうでなかろうと、子どもに対してできることは同じです。**そして共働きのご家庭の多くは、家庭での一日の生活時間がだいたい決まっています。また、**保育園は子どもの保育＝生活をすることを大切にしているので、生活リズムやその緩急がはっきりしています。**

パラパラ漫画でいうと、変化の少ないパラパラ漫画ができ上がります。**子どもには、とても育ちやすい環境です。**

保育園には「教育」がない？

「でも、保育園は教育の面でもの足りない……」と思っている方も多いようですが、心配ご無用。

ここまでお伝えしてきた子どもの生活に大事なことをまとめると、次の３つです。

共働き親子には、帰り道が味方!!
親
仕事の顔から
親の顔への
切り替えスイッチに!
タスク
中心
子ども中心
子ども
帰り道の時間だけでも
子どもの自由に
させてあげることで、
世界がグッと広がる!

・日々落ち着いた生活を送ること
・自分のことは自分ですること
・親子で体験&会話をたくさんすること

皆さんにも経験があると思いますが、育児と仕事の両立に忙しいと、まるで毎日がジェットコースターに乗っているよう。「日々を暮らす」が「日々をこなすためのタスク」になると、慌ただしいだけで過ぎてしまいます。

そんなときは、たとえば毎日の保育園のお迎えの時間に、意識して時間を取ってみてください。

その道すがらの時間は、子どもが草を取ってみたり、石を持ってみたり、空を見上げてみるなど原則子どもの自由にさせる。そんな時間を持つくらいなら、できそうに思えませんか?

その、ほんの10~20分くらいの時間をプラスしただけで、子どもたちはずいぶんいろんなことを知り、世界を広げていきます。それだけで十分です。

いつもなにかを与え続けるのではなく、子どもの世界にお邪魔して一緒に楽しんでみる。それくらいの気楽さで過ごしてみてほしいと思います。

第4章では、教具がない、なにかをさせてあげないとダメなのではないか？あるいは、用意してもやらないのはなにかがかけているのではないか？と考えがちなのを、視点を変えて「体験と会話を楽しむことで、子どもはずっと伸びていく」というお話をしました。

第5章では、いよいよ集中についてお話しします。

「集中する」は大人も大好きなキーワード。モンテッソーリ＝集中と思っている方もいます。子どもと大人の集中の違いや、子どもの集中を生かしながら伸ばしてあげたいと思ったとき、おうちモンテではどうするのか？また集中の先にある成長、とくに知的な成長へのかかわり方とともにお話ししていきます。

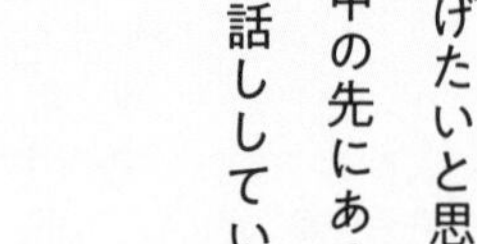

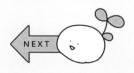

第5章

「集中」を正しく知って
おうちで生かす

「集中」って、なんですか?

モンテッソーリ教育でいう子どもが集中する姿。それは子どもが自分のやりたいことを見つけ、繰り返し活動する中で見られる姿です。

満足するまで取り組み、「もうおしまい」と活動を終えると、スッキリした顔になる。その集中体験を十分に積むと、子どもは「全人格的に」育つと言われています。

私たちも集中しなさいと言われて育ち、大人になったいまでも集中しようと自分に言ったりしますよね。それだけ人は「集中」に惹かれ、実際、子どもが集中する姿にははっとする美しさがあります。

でも、だからこそ親が思い描く集中の姿と、子どもの姿にギャップがうまれます。子どもが集中するものってなに? 集中しないのはなぜ? 集中しないのは、残念な子? などなど、親の悩みはつきません。

幼児は「集中しよう!」と思って集中するわけではありません。そもそも、子どもには「集中している」という意識すらありません。集中とは「やりたいことに無意識に没頭している」だけ。大人と子どものギャップをうめていきましょう。

親の「お悩みあるある」チェック

集中がわからない！

- □ うちの子、集中力がない！
- □ じっと座っていられない子どもが不安
- □ うちの子は、とっても飽きっぽい
- □ うちの子、なにか特別大好き!! がない
- □ 子どもの得意、好きがわからなくて焦る
- □ モンテ的に「おしごとの時間」を作ってもお仕事をしない
- □ そもそも、じっくり遊んで良い時間が作ってあげられない
- □ 落ちつきのない子は、ダメな子だと思ってしまう
- □ 熱心なのは私ばっかりだ
- □ 絵本を読んでも、いまいち手応えがない

親が思う集中と、子どもの集中は違います。「座っている」「時間が長い」だけが集中ではないことを知ると、子どもの世界が見えてきます。

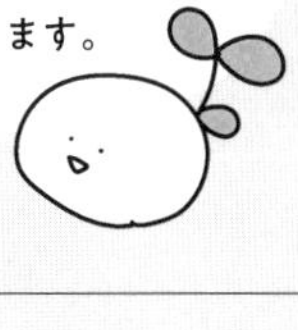

子どもは自分で育つチカラがある

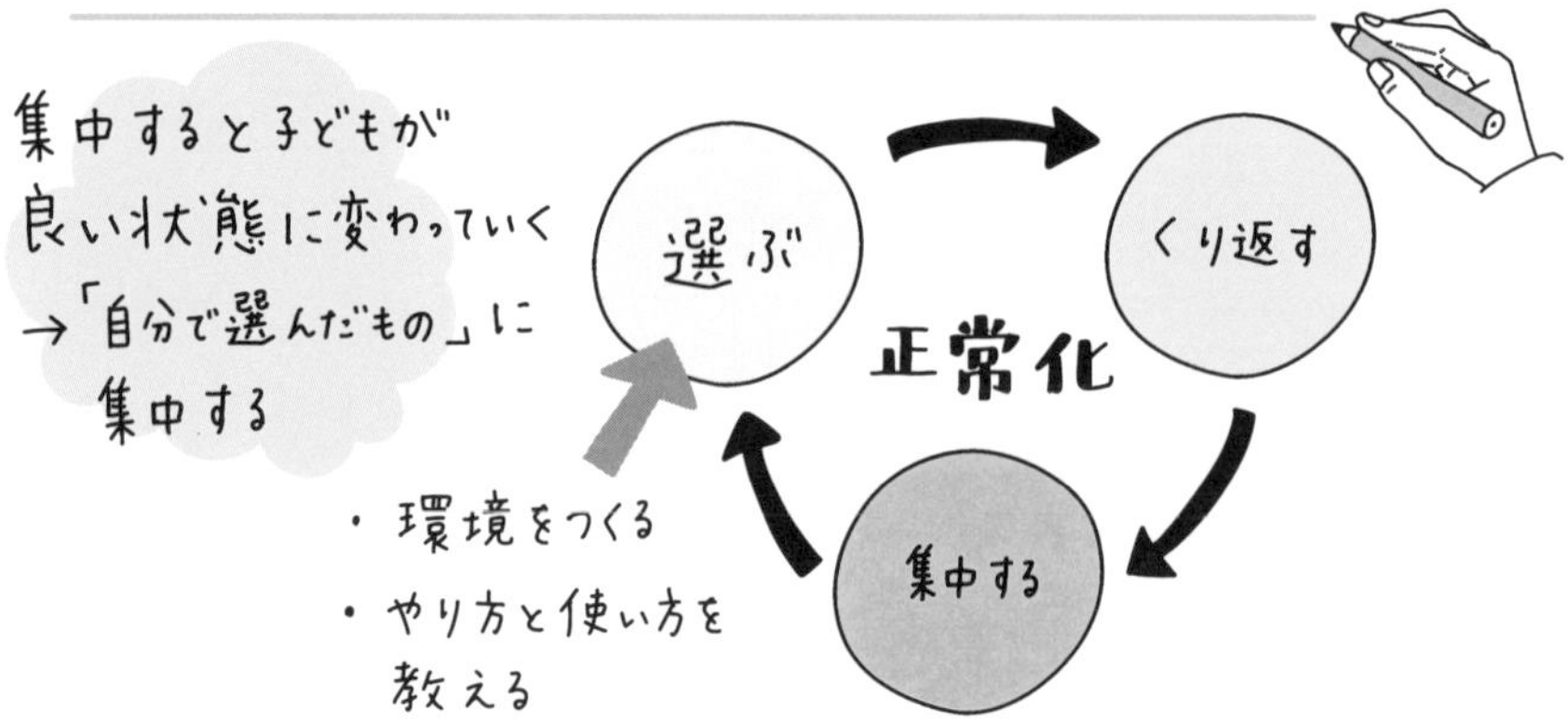
集中すると子どもが
良い状態に変わっていく
→「自分で選んだもの」に
集中する
選ぶ
くり返す
正常化
集中する
・環境をつくる
・やり方と使い方を
教える

集中してほしいのは、なんのため？

子どもに落ち着きがない、うちの子は集中しない……と悩む親御さんの相談を聞いていると、自分が思う「集中する姿」がわが子には見られない、と思い込んでいる方が多いことに気づきます。

でも、**実際のお子さんを見ると、集中している子どもはたくさんいます。ちゃんと「その子のやり方で」集中しているのです。**

モンテッソーリ教育では、子どもは「自分で選んだやりたいことに繰り返し取り組む中で集中する」と言われています。

集中とは活動する中で起きる「自然現象」のようなもの。そして、集中する始まりはいつも「自分で選ぶこと」です。

座っていたら集中するだろうなど、**つい、子どもが集中することを親がコントロールできると考えてしまいがちですが、「集中する自由と権利」は子どもにあります。**

「人間としてバランス良く成長する」（正常化）とは？

感情的	社会的	身体的	知的
□ 情緒安定 □ 他人への親切 □ 相互協力	□ 規律と秩序を重んじる □ 従順	□ 運動器官の巧緻性 器用さ □ 観察力 注意力	□ 自発性 □ 自信と忍耐力

などなど、トータルに調和のとれた人になること

「全人格的成長」ってなんだろう？

モンテッソーリ教育では「集中すると、「全人格的成長」をする」と言われます。全人格的成長をひと言で言うと、「人間としてバランスよく成長すること」。

「正常化」とも言われたりするので、集中＝正常化＝集中しないうちの子は異常？と思う方もいます。「ちゃんとした育児」がしたい親御さんは子どもに集中してほしくなるのだと思います。

では、実際に全人格的成長をした子はどんな子になると思いますか？なんのことはない、「普通の人間」です。

拍子抜けしましたか？モンテッソーリで学んだ子も学んでいない子も、いろんな凸凹が個性になっていること、日によって調子のいい日もあればそうでない日もあること。ちょっとしたことで落ち込む日もあることは同じです。

私の考える**「全人格的成長の証」を持っている人とは、「自分で自分を満たすことができる」こと。**

集中しろと言っても集中しない

えらぶ
START
集中
しなさい!
GOAL
集中
ブー!
ゴールに連れて
行けばOK!
集中するよネ!!

それは大人か子どもかに関係なく、一人の「人」として、自分で考え、判断し、行動し、その結果を自分で引き受けられる人のことです。それはつまり、過度な依存や攻撃をしない人でもあります。

育児に逆算思考は逆効果

「モンテッソーリ的かどうか」に関係なく、親は子どもの集中している姿を見たいと願います。それは親の本能のようなものだと思います。

だからでしょうか、なかにはときどき「逆算思考」を発揮して、「子どもを集中させるにはどうするか」と考える方がいます。何度もなにかをさせたり、おしごとをさせたら集中するのではないかと思う方もいます。

でも、**残念ながらそれでは本末転倒。集中現象が起きるのは、あくまで子どもが「やりたい」と自分で選んだ活動が始まりです。**

モンテッソーリ教育には明確なセオリーと型があるため、少しかじった人ほど子どもを型にはめてしまいがちですが、セオリーは生

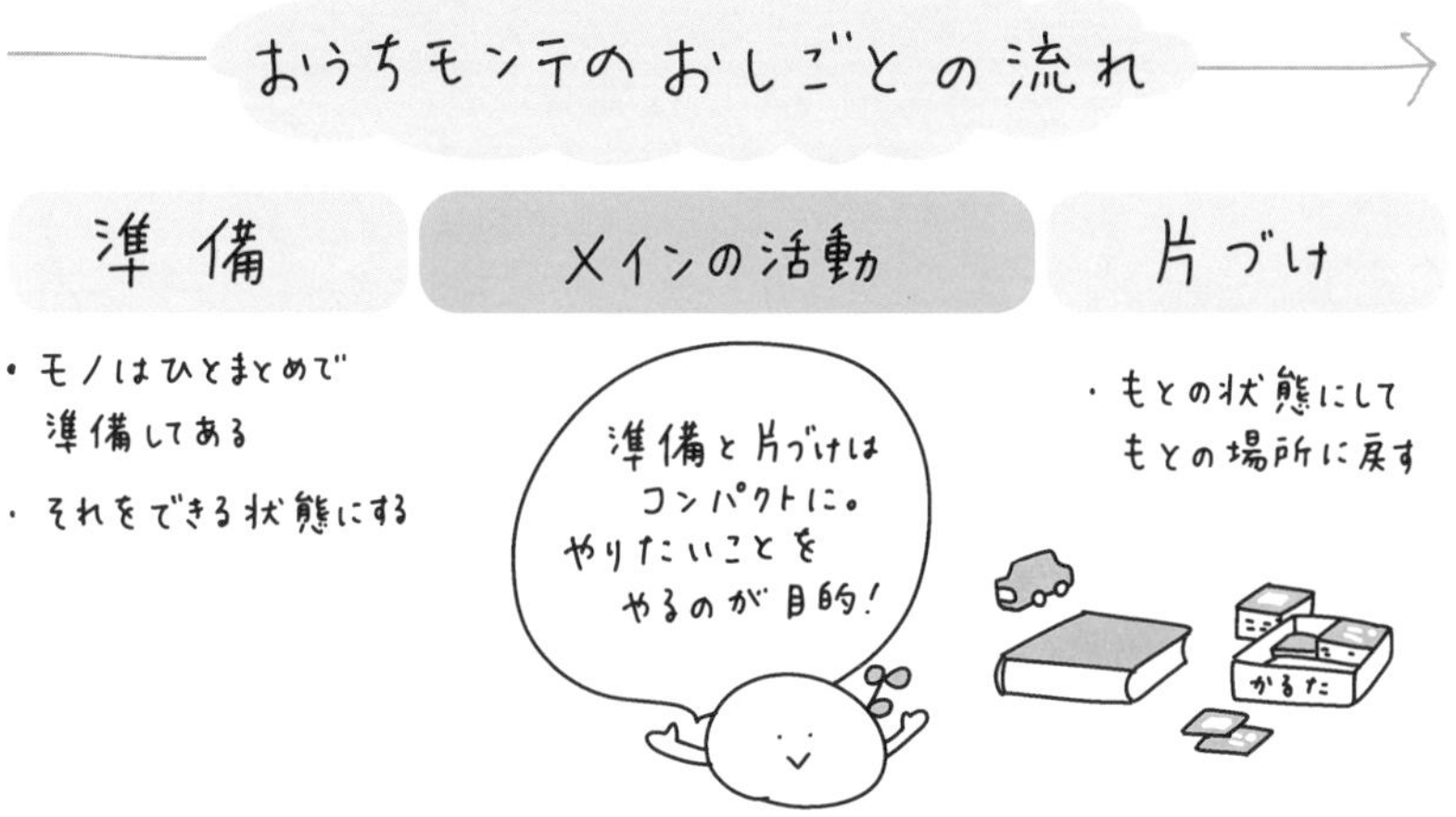
おうちモンテのおしごとの流れ
準備
メインの活動
片づけ
・モノはひとまとめで準備してある
・それをできる状態にする
準備と片づけはコンパクトに。やりたいことをやるのが目的！
・もとの状態にしてもとの場所に戻す
かるた

かして、型から抜けてみるくらいでちょうどいいのです。

おうちモンテはむしろ、あなたの思い込んでいる型からどう抜け出すかが実践していく上でのカギになります。


家で子どもにちゃんと「おしごと」をしてもらうには？


「子どもがおしごとを『ちゃんと』してくれない……」という方は多く、その悩みの理由もいろいろです。

時間を決めているのにその時間にしない、始まりがない、お片づけをしない……など、自分が気になるあらゆるシーンを問題視します。

ところで、そもそも、おしごとってなんでしょうね？

モンテッソーリ園でのおしごとは、だいたい次の４ステップで組まれています。

①子どもが自分でやりたいことを選ぶ
②机や、必要な場所に運ぶ
③何度も繰り返し活動する
④終わりを決めてお片づけをする

おうちモンテは、「あそび」と「おしごと」を区別しない

やおや
おー！
よく
読めたね
や！
さぁ
「おしごと」
するよ！
…
大切なのは
子どもの
「やりたい」を
見つけること

つまり、準備→メインになる活動→お片づけという手順があり、お片づけまでやって終わることを大切にします。

たしかに、この一連の「型」でこそ得られるものもあります。ただ、おうちモンテで実践していくには、少し違ったアプローチが必要です。

まず、子どもの興味を真ん中においてみる

「モンテの活動はこういうもの」と先入観を持っている方に多いのが、「子どもがおしごとに取り組まない」「お片づけまでしない」といった相談です。

では、あらためて「おしごと」ってなんでしょう。

「子どもがおしごとをしない」という方に、おしごとと遊びはどう違うと思いますか？と聞くと、「おしごと」は知育になる活動で、「遊び」は単なる自由時間、と考えている方が多いです。

くり返しになりますが、おうちが教育施設になる必要はないし、親

1
手で食べても
ママは大人だからいいの！
2
そっか!!
ボクは子どもだからダメなのだ!!
…とは、なりません！
子どもは、親のマネをします

が先生になる必要もありません。そして、親の知らないところで、子どもは暮らしのあらゆるところから学んでいます。

それを大人が「この時間はおしごとで、あなたの将来のためになるもの。この時間はあなたの自由時間にやっていい遊び」と生活の中で分けるのは、はたして**「子どもの興味から始まっている」でしょうか？家庭に「おしごと」の概念を持ち込まず、すべてが子どもの成長と考えてみてください。**

一つひとつの活動を「準備―活動―片づけ」とキッチリさせることも大事ですが、これってじつは暮らしの基本でもあります。あなたが、日常で普通に子どもに見せていれば大丈夫です。

まずは、あなた自身を振り返ってみてください。「ふつうに丁寧」が、意外にムズカシイんですよ。

「ながら家事」に要注意

そして、**片づけが苦手といわれる子どもの親御さんは、あることをされている方がほとんどです。それは「ながら家事」。**

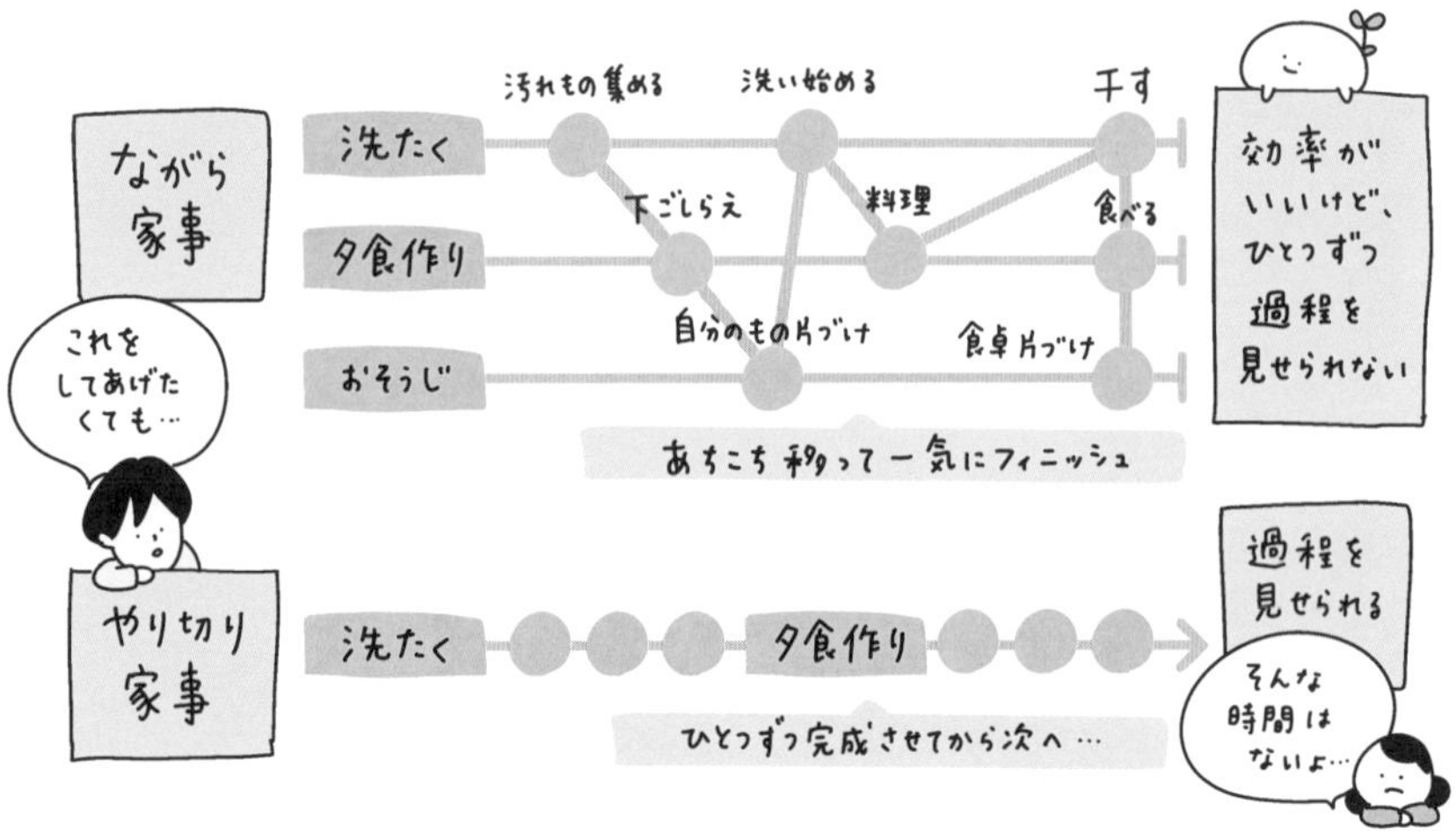

並行していくつもの家事を進めるのは、ダンドリ上手！家事においては「いいこと」として扱われていますが、ここで少し考えてみてください。

冒頭にお伝えした「子どもは親が言ったようにではなく、見せたように育つ」というモンテのセオリー、覚えていますか？

そうです。**その親御さんは、日常生活で一つひとつの作業を終え、片づける姿を子どもに見せていません。そのために、子どもがきちんと片づけないという「副作用」が生まれてしまうのです。**

でも、子どもに片づける子になってもらうために、ながら家事をやめられるかというと、それはむずかしいですよね。

「家事を一つひとつ終わらせて」と言われたら、ムリ！と思う方は多いはず。**だからこそ、ここで一度考えてみてほしいのは、なにを優先するか？ということです。**

「こうあるべき」のために子どもにイライラするのか。それとも、マルチタスクの効率の良さを会話できちんと伝えていくのか。どちらをしたいのかは、選ぶことができます。

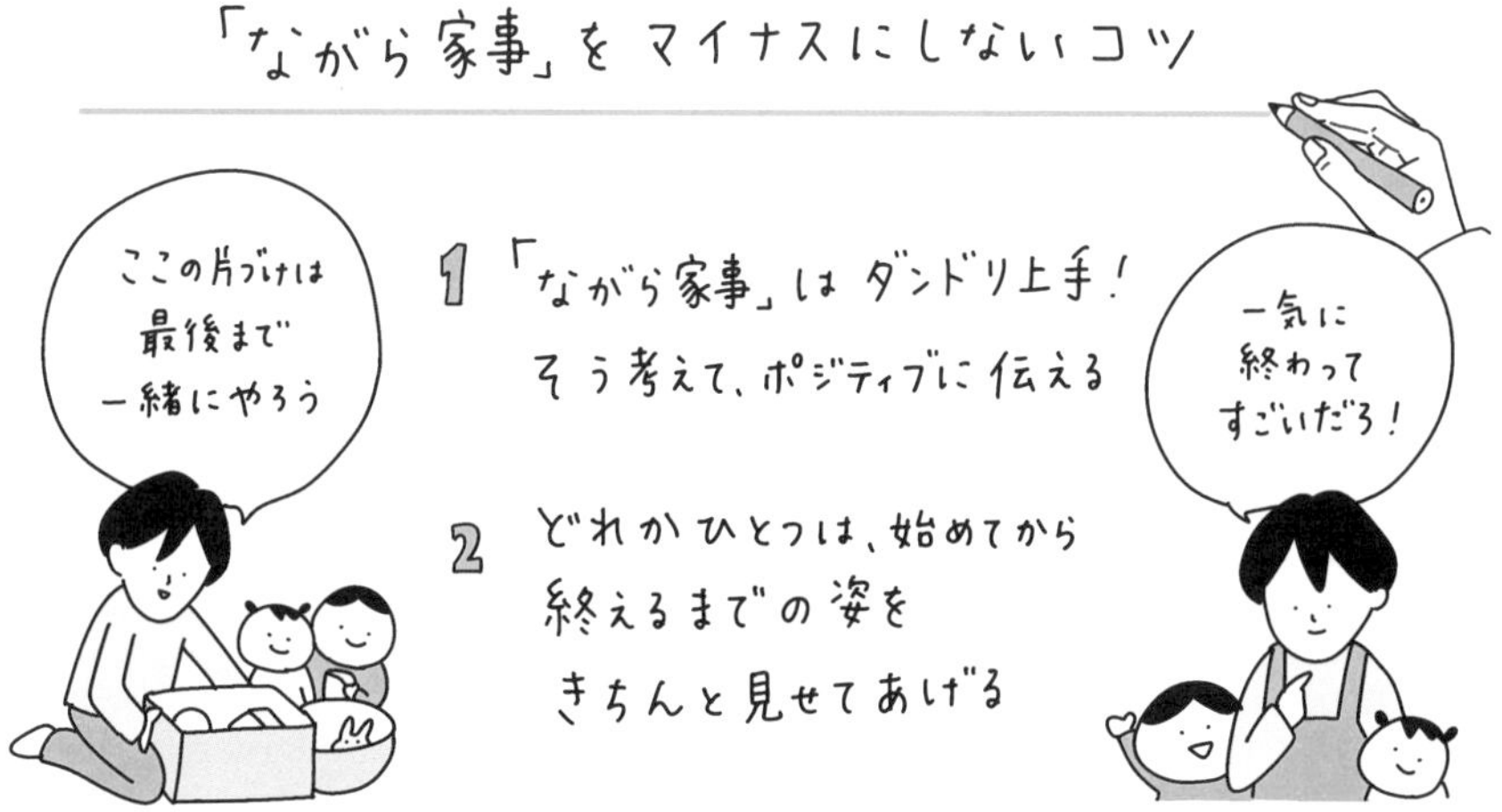
「ながら家事」をマイナスにしないコツ
1 「ながら家事」はダンドリ上手！
そう考えて、ポジティブに伝える
2 どれかひとつは、始めてから
終えるまでの姿を
きちんと見せてあげる
ここの片づけは
最後まで
一緒にやろう
一気に
終わって
すごいだろ！

「ながら家事をしているから、子どもが片づけないんだ」と卑下するのでもなく、あるいは「ながら家事のなにが悪い」と開き直るのでもなく、「お母さんってダンドリ上手なのよ。あなたにもそのコツを教えてあげるね」とポジティブに伝えられたら、親子で幸せになるチャンスも増えます。

そして、全部でなくても、どれかはきちんと終える姿を見せる。

「子どもになにを伝えたいのか、あるいは伝えているのか」を少し意識するだけで、「型」がなくても伝えられることはたくさんあります。

子どもの好きなことを見つけてあげるには

ここ10年くらい、「いい大学、いい会社に入ることよりも、子どもには好きなことを見つけて、自分の人生を歩んでほしい」という親御さんが増えたように思います。

でもほとんどの場合、その「好きなこと」の中には「お金になることや、将来役に立つこと限定で」というただし書きが含まれているもの。そういうことを見つけるために、子どもが小さいころからいろんな体験や習いごとに通わせる方もいます。

ピアノ
すてきだよ！
す…
好き…!!
ビビーッ
…とは、
なりません！
ひと目ぼれ
タイプは
少数派。

でも、それで好きなことが見つかる可能性は、残念ながらあまり高くありません。

好きなことって、恋愛と一緒。ある日ふと気づくもの

好きなことを見つけるのは、恋愛に似ていると思ってください。ある日、なにかに出会ってカミナリに打たれたように「こ、これだ！」と一目ぼれする子もいますが、それはかなりの少数派。多くは、**日々のなにげない接触の積み重ねから、気がついたら「これが好きだな」と感じるようになることがほとんどです。**

子どもが興味の対象を見つけるまでの順番があります。

①自分のことが自分でできるようになり、自分のまわり＝世界を知っていく

②やりながら自分の好き嫌いが、自分でなんとなくわかる。このとき、「あなたって◯◯な子だね」など、「その子らしさ」につながるフィードバックを親や先生から受ける

好きなことはスポットライトのよう
BOOK
いろんなことを
しながら
「いいな」が
重なったなかに
「好き」が見つかる。

③好きなことを繰り返す
④「やっぱり好き」と自覚する

この「好きなこと」の中でも、○○するのが好き、というのが、本当の興味になっていきます。

「好きかも」が「やっぱり好き。ずっと好き」になるためには、子どもが「カミナリに打たれること」を求めるよりも、毎日ちょっとずつ、**できることを一緒に「できたね」と喜び合ったり、「そんなあなたは素敵だね」と伝えるうちに、その子の好きが見えてくるもの。そして、なにか好きなことができる中で、そこから新しい興味や、好きなことが見つかりやすくなります。**

「意味ある体験」をするにはどうしたらいい？

小学校受験をされるご家庭によくあるのが、子どもにいろんな体験をさせてきたはずなのに、いざ思い出を聞いてみるとなんにも残っていなかった……ということ。

スキーに行ったことがあるのに、行った季節を聞くと「夏」と答

える。

毎年家で梅干しを漬けているのに，木に実る梅を知らなかった……などなど、親から見たらトンチンカンな答えは「子どもの世界あるある」です。これは、**体験の繰り返しが足りないことと、体験について親子の会話が足りなかったことが原因。**

少し違う角度から見ると、モンテッソーリ教育と、小学校のお受験対策で得られるものの本質は一緒なのです。「日々、子どもがどれだけ『体で』育ってきたか＝五感を使って育ってきたか」にかかっています。

お受験は、親が体感と会話する生活にどれだけコミットしてきたか、つまり「親子が『日常で』五感を使う機会を作り、会話をしてきたか」が合否を左右します。

教育施設でモンテッソーリ教育を受けているお子さんでも、お受験で落ちることはよくあります。でも、多くの場合それは子ども自身の経験が足りなかったのではなく、親子の会話による経験の定着が足りなかっただけだったりします。

それくらい、子どもの成長において、生活の中で「親子で一緒に

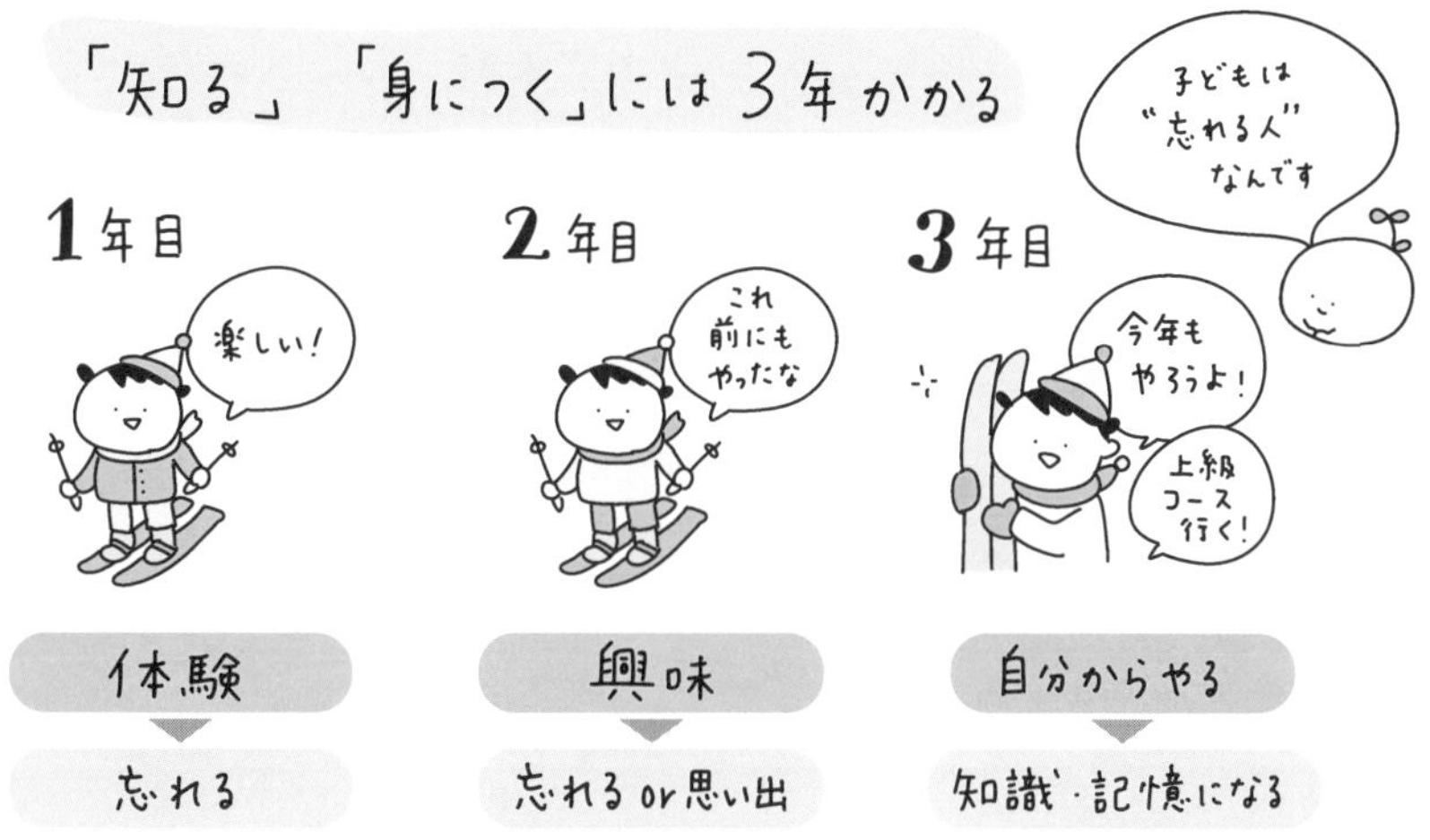
「知る」「身につく」には3年かかる
子どもは"忘れる人"なんです
1年目
楽しい!
2年目
これ前にもやったな
3年目
今年もやろうよ!
上級コース行く!
体験
忘れる
興味
忘れるor思い出
自分からやる
知識・記憶になる

体験し、体験の感想をシェアすること」は大切なのです。

お受験でも、習いごとでも大切なのは「繰り返しの経験と親子の会話」。その密度を濃くできるノウハウが、おうちモンテには詰まっています。

子どもは、3年かけて知っていく

子どもがなにかの体験で得たことや会話を、自分の知性や世界観にするために繰り返すことが必要。そして、**同じことを3年やって身につく**と言われています。

つまりモンテッソーリにかぎらず、**子どもがなにかをしっかり理解するには繰り返すことが必要で、それには一定の時間がかかるの**ですね。**ただやらせるのではなく、親や教育者との会話によって定着していくのです。**

とはいえ、親御さんが子どもになにをしてあげたらいいのかわからなかったり、遊びのレパートリーが少ない、と悩む方もたくさんいます。あるいは、体験と会話をできるだけ効率よく増やしたい方

毎年の楽しみをつくる「季節のワーク」

何歳だから何をする、
というより 毎年する
何かを持とう
1歳
2歳
3歳
4歳
5歳
今年も
お花見
ハイキング！
去年より
長く歩ける
ようになったね

もいます。そのどちらにも、どんな方にも役立つとっておきの方法があります。

それは「季節のワーク」。日本の季節の行事を中心に、**なにかテーマを決めて親子で一緒に楽しむことで、無理なく繰り返せるワークです。伝統行事だけでなく、「うちの定番のなにか」もいいですよ。**

季節のワークのコツは、たったの2つ。

- **季節ごとに毎年繰り返す**
- **ワークをするときは3つくらい会話を広げる**

これなら、できそうだと思いませんか？

季節のワークで毎年少しずつ、でも着実に

子どもをどこかに連れて行ってあげないと、たくさん経験させないと、と思っている方はたくさんいます。そして毎日、毎年なにをしようかな？と頭を悩ませる方も多いです。

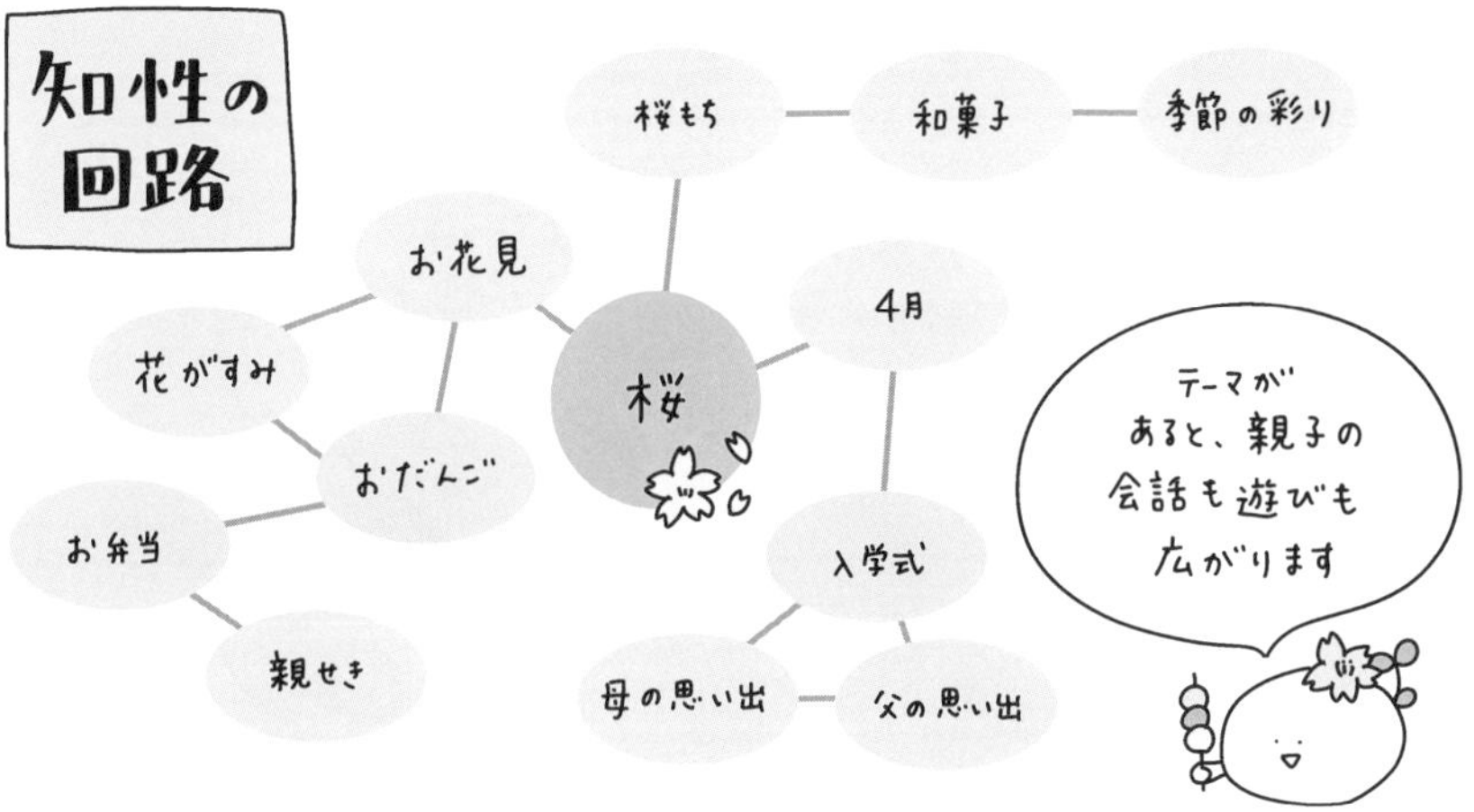
知性の回路
桜もち
和菓子
季節の彩り
お花見
4月
花がすみ
桜
テーマがあると、親子の会話も遊びも広がります
おだんご
お弁当
入学式
親せき
母の思い出
父の思い出

そんなときこそ、イベントより季節のワーク。やることはシンプル。テーマを決めて、毎年同じことを繰り返せばいいのです。

私の講座を受けているご家庭の皆さんから、**季節のワークは毎年やっても飽きることがなく、子どもの成長にも意識的になることができる。そして、やるたびに大人も発見がある**、といった声が寄せられる人気のワークです。

一つのテーマを決めて、毎日一つその話題について会話するだけなので、忙しいママでも続けられます。

たとえば、4月上旬のテーマは「桜」。

桜と聞いて、どんなことが思い浮かびますか？

桜の花を見て歩く、お弁当を作ってお花見に行く。あるいは、ニュースを見て、桜前線が北上していく＝四季にも地域差があるという話。

花が散ること、鳥が蜜を吸って花を落とすこと。桜餅の話。桜餅の葉っぱが食べられること。季節によって変わっていく和菓子のお話。入学式や新しい学年になること、年度が変わるお話など、桜一

おうちモンテは絵本がキーアイテム

現実の世界と
絵本の世界が
つながる
言葉と体感が
つながる
赤ずきん

つをとってもたくさんの広がりがあります。

「子どもを伸ばすために、知的なことにつながる会話をしなくては」と考えると大変ですが、**季節のワークは、一つのテーマから、無理なく会話を広げていくことができます。**

この本を購入された方の特典「季節のワーク」（221ページ参照）のシートでは毎週のテーマをご用意していますが、実際にするときは、毎月一つでも大丈夫。ご家庭のペースに合わせてやってみてください。

モンテッソーリは「リアル」が大事。絵本は読まない？

あまり知られていないのですが、モンテッソーリ教育では「リアルであること」を大事にするので、写実的な絵本や図鑑を見せることはあっても、一般的な絵本を使ってなにかをすることは基本的にありません。

では、おうちモンテでも読むべきではない？

いえいえ、ぜひ活用してほしいと私は思っています。

絵本＝リアルを深める・広げるもの

知らないことがわかる
お菓子にも入ってる
ぞうも好きなんだ
家にあるのと同じだ
「同じ」がわかる
本がリアルかどうかより
子どもにとってリアルであることがポイント！

大切なのは、読むべきかどうかという「べき論」ではなく、絵本を読む目的。私は**「絵本は子どものものの理解に役立ち、成長のサポートになるもの」**だと考えています。

家庭では、絵本を使って体感＋言葉を伝えていく

じつは、幼児は「実物＝立体でリアルにあるもの」と「平面＝二次元にあるもの」が同じだということに気づいていなかったりします。

たとえば、実物のりんごと、絵本や写真のりんごは別物と思っていて、この2つが結びついて初めて「同じもの」だと知ります。

またリアルに描かれたり、写真に写ったりんごと、イラストなどで「デフォルメ」されたりんごも、はじめは別物。知ることで、同じものだと理解していきます。

そこで役に立つのが絵本です。**子どもは絵本の読み聞かせや会話から、「話している内容と実物が同じもの」だと知ります。**

ここで、「立体と平面の理解が違う」という例を、私の生徒さんの

子どもには、実物と平面のものは違うものに見えています！

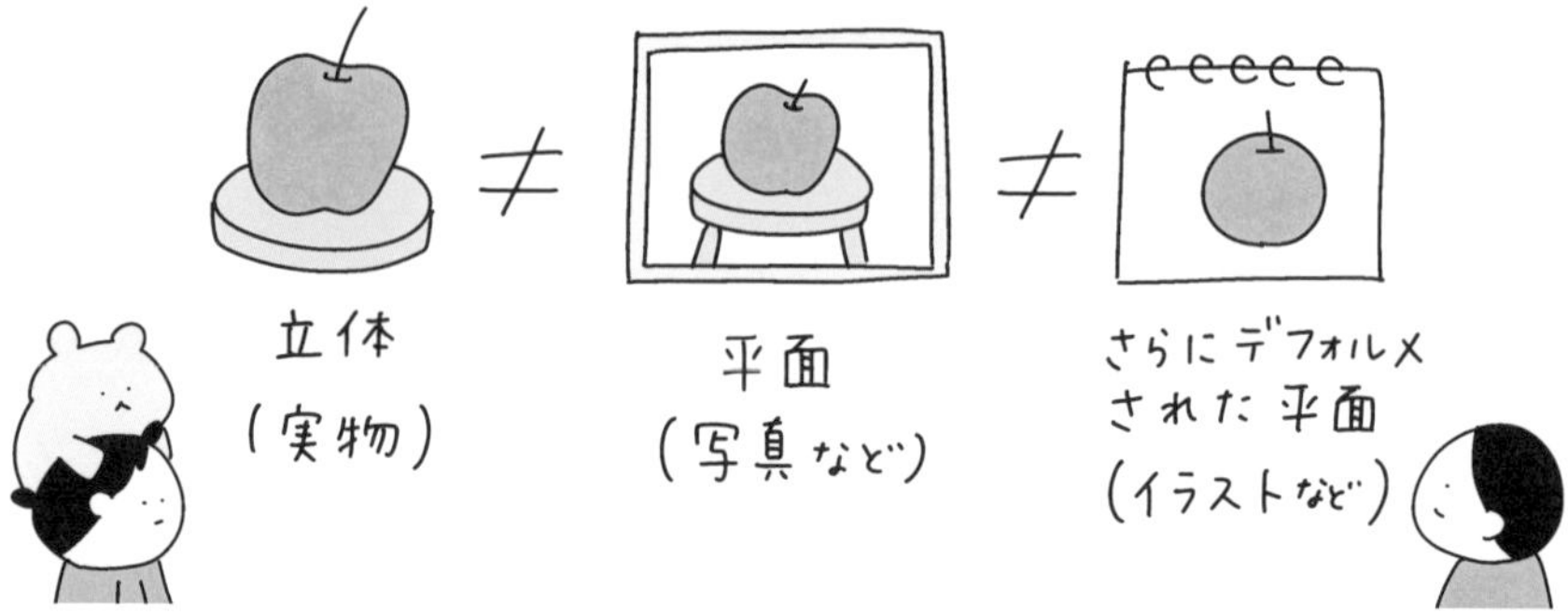

お子さんSちゃん（幼稚園の年長）の例にしてご紹介します。

Sちゃんは家で毎月届くドリルをやっていました。

何種類かの色を順序よく並べる問題のとき、「順序よく」という言葉の意味がよく分からないようだったので、まずは赤と青の色ビーズを交互に並べてもらいました。

一色増やした赤・青・黄も同様にできました。赤・青・黄・緑の4色になるとちょっと混乱が起きていたけれど、数回繰り返したら、飲み込めていました。

次に、これを色ビーズよりも平面的な色おはじきで同じように置いてもらうと、赤と青の2色の段階で詰まっていました。立体と平面にこんなに理解の差があるなんて、驚きでした。

幼稚園の年長であっても、実物が大事。そしてビーズとおはじき、同じ立体物でも、「立体の高さ」という点で理解に差が生まれることがわかります。

それくらい、立体と平面では理解の差が生まれるということ。親

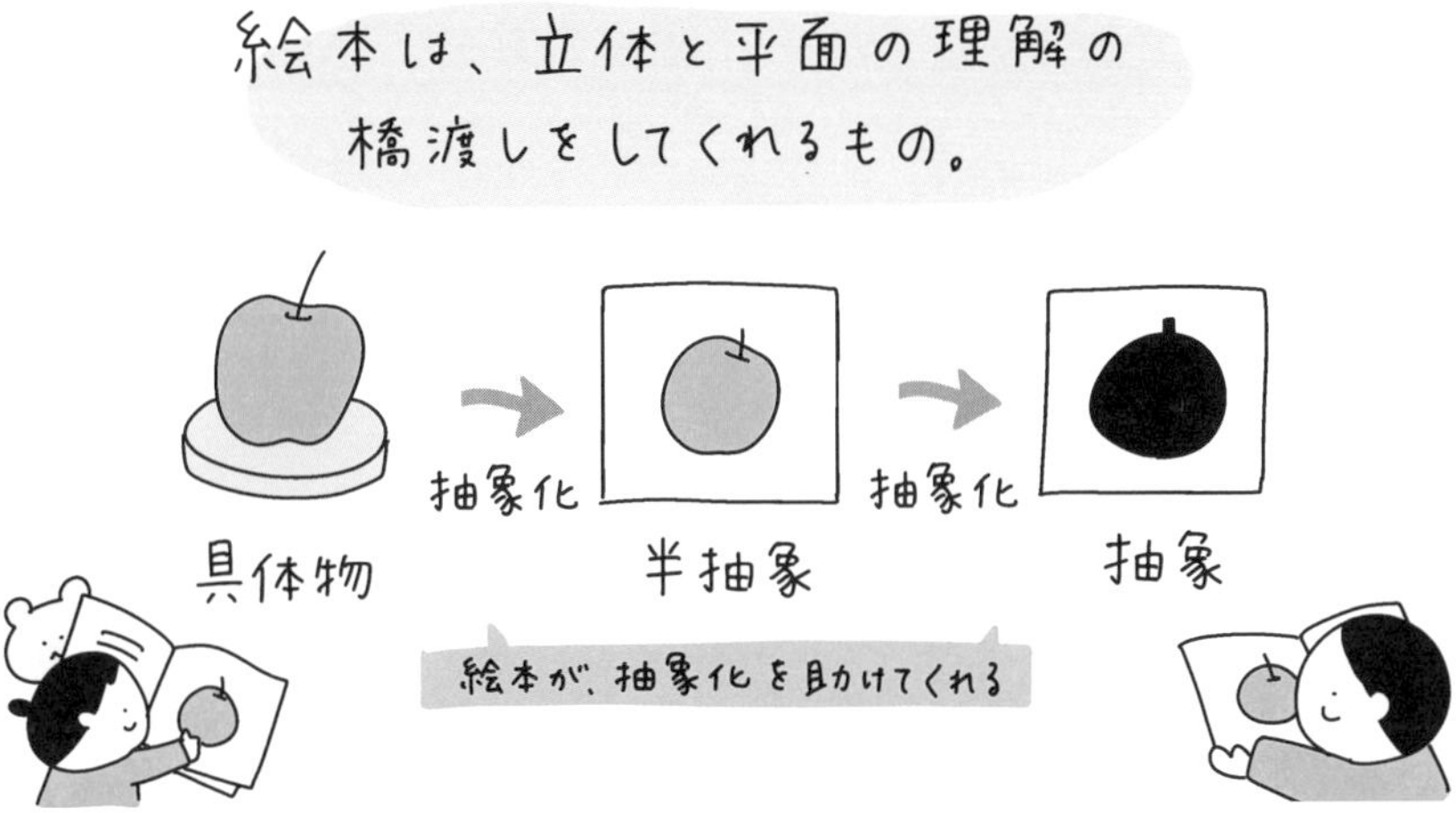
絵本は、立体と平面の理解の橋渡しをしてくれるもの。
具体物
抽象化
半抽象
抽象化
抽象
絵本が、抽象化を助けてくれる

から見て本物のりんごと、リアルに描かれたりんごは同じように見えても、子どもには「別物」なのです。

モンテッソーリの教育施設では、これらが同じであることを一つひとつ、教具を使って見せていきます。

でも、おうちではどうでしょう。本物のりんごやリアルな絵のりんご、アニメの中でのりんごなどが、日々一緒に子どもの目の前に現れてきます。いうなれば「カオス」な状態です。

であれば、**「絵本はいらない（とされる）考え方」より、カオスの中で子どもが混乱しないよう、うまく絵本を使って、子どもが理解しやすくする方がよほど大事。**むしろおおいに絵本を使って、お子さんの世界を広げていってあげてほしいと思います。

おうちモンテにおける絵本の選び方

絵本を読むのはいいことだというのは、誰もが思うことだと思います。でも、絵本の選び方＝どんな本を読んであげたらいいのかわからない、という方もたくさんいます。

国語力のつく絵本の読み方にはコツがある

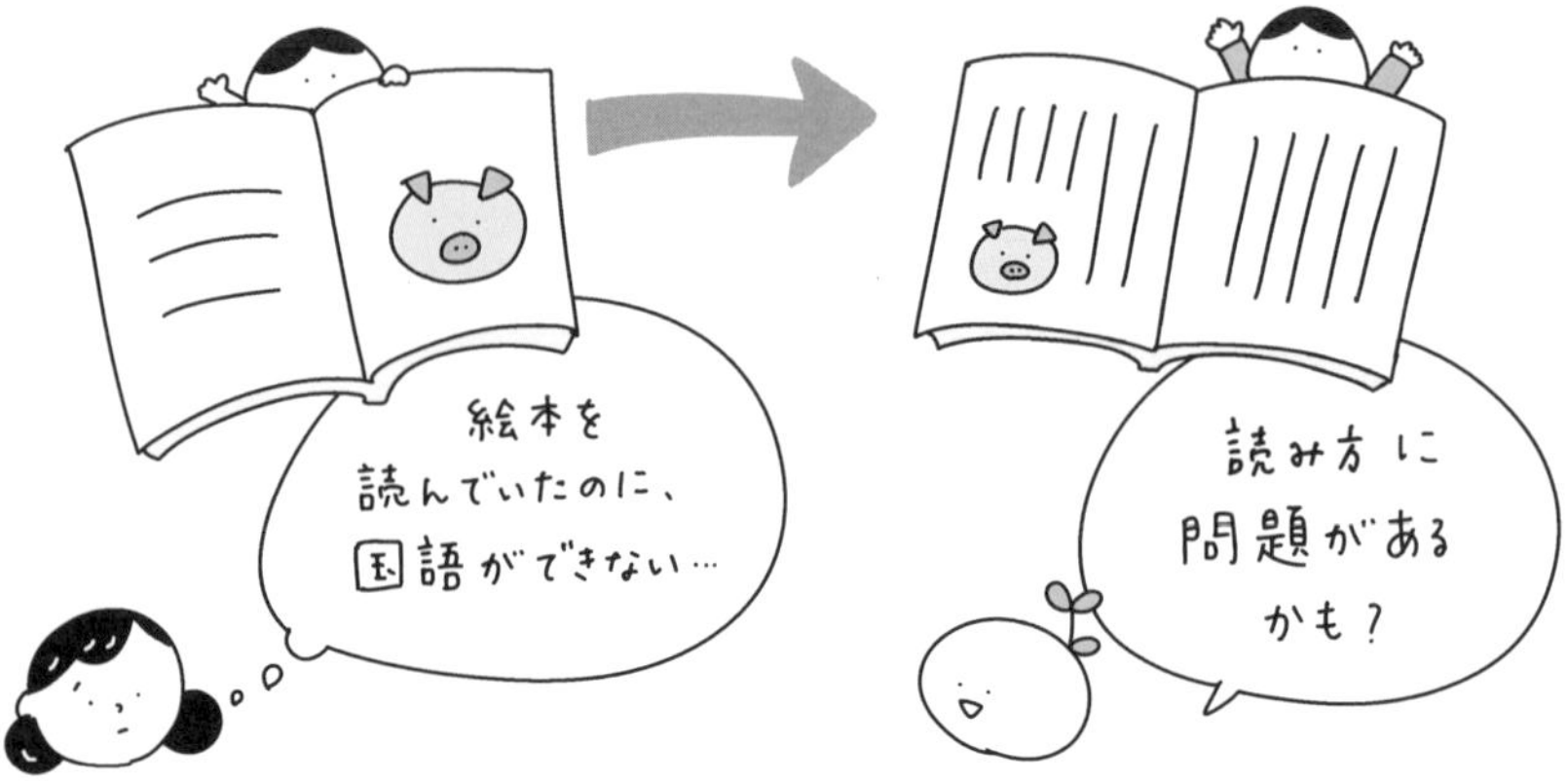
絵本を
読んでいたのに、
国語ができない…
読み方に
問題がある
かも？

絵本のいいところって、どんなところだと思いますか？と親御さんに聞くと、「想像力や情緒が育つ」、「国語ができる子になる」という方が多いです。そして皆さん、読み聞かせをされています。

一方、その後の育ちを見ていくと、幼児期にたくさん絵本を読んでもらったのに、国語ができないという子もいます。しかも、割合にして絵本をよく読んだご家庭の4割くらいになるとも言われています。けっこうな数だと思いませんか？

私は、幼児教育のゴールを「身の回りのことを自分でできて、間違っていてもいいから自分で考えて行動し、自分の考えを表現できるようになること」だと考えています。つまり、自分の価値観の根っこを作ることと、行動できる人になること。

そのためには、早いうちからなにかを教え込むのではなく、体験を通して自分の住む世界とものの成り立ちを知る。体感する。そして、その体感を表現する言葉を知っていくことが大切です。

絵本は、読むだけでたくさんの擬似的な体験ができます。そして、

絵本は子どもの発達に合わせて選ぶ

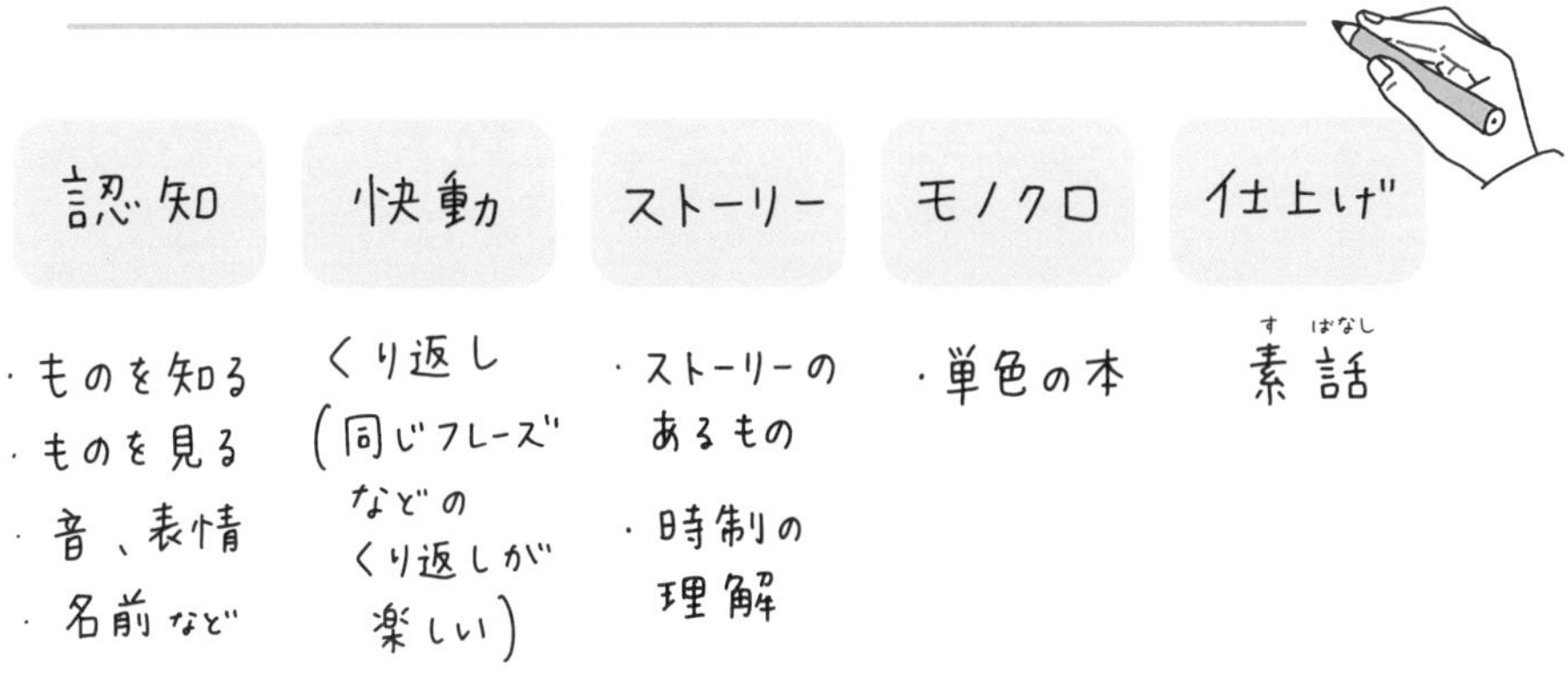

認知
・ものを知る
・ものを見る
・音、表情
・名前など
快動
くり返し
（同じフレーズなどのくり返しが楽しい）
ストーリー
・ストーリーのあるもの
・時制の理解
モノクロ
・単色の本
仕上げ
素話《すばなし》

絵本と同じことを真似してみたり、暮らしの中で探し出す。あるいは、親子で会話できる広がりもあります。そうやって、現実の世界を広げるだけでなく、子どもの無意識の世界や想像力も広げていきます。絵本を読んで終わりではなく、**意識的に子どもの国語力につながる時間にすることができます。**

絵本を読むゴールを「なんとなくアタマがよくなりそう」ではなく、確実に知性につなげたいと考えたとき、絵本には発達に合った選び方と読み方があります。ここではくわしくはご紹介できませんが、およそをまとめたものが上の図です。

子どもの発達に合った絵本の読み方

子どもたちの発達に合わせた絵本の読み方には、３つのステップがあります。

ステップ① 身のまわりを知る時期

モノの名前、顔などの表情、モノと音の組み合わせなどを知る時期。『おつきさまこんばんは』（福音館書店）『じゃあじゃあびりびり』

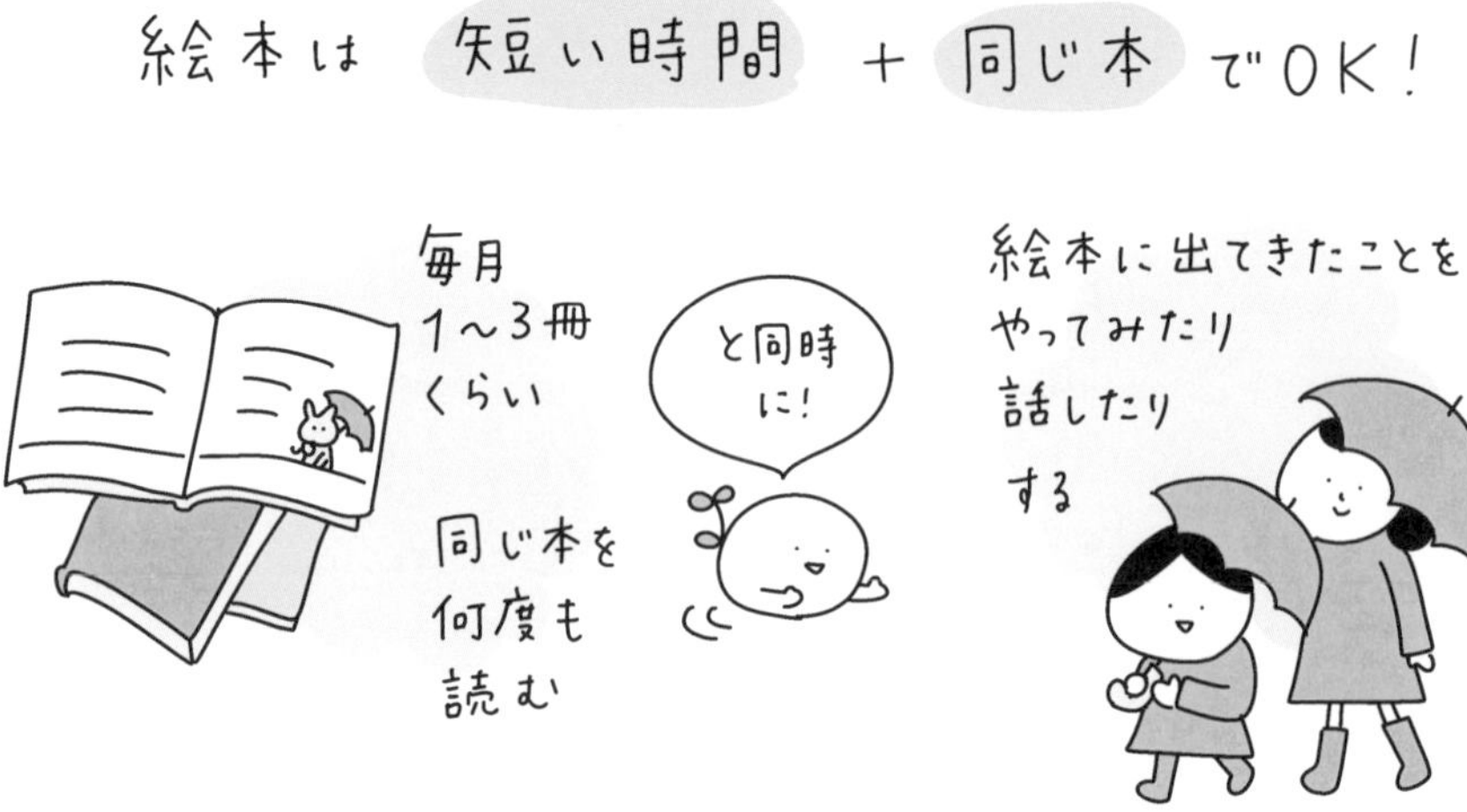
絵本は 短い時間 ＋ 同じ本 でOK!
毎月
1～3冊
くらい
同じ本を
何度も
読む
と同時
に!
絵本に出てきたことを
やってみたり
話したり
する

（偕成社）『くだもの』（福音館書店）などが、この時期に読む本です。

ステップ②　子どもが繰り返しを楽しむ時期

同じフレーズや展開の絵本を好みます。たとえば『おおきなかぶ』『三びきのやぎのがらがらどん』（ともに福音館書店）など。話の終わりが明確で短いお話の絵本が多いのも特徴です。「読みきった感」を感じることができます。

ステップ③　ストーリーを楽しむ時期

起承転結のある話のように、物語が展開していく絵本を楽しめるようになります。ストーリーのある本が楽しめるようになったら、絵本を読み終わったあと、親子でお話を振り返ることができます。

こうして書くと「何歳からどの本なの？」と言われそうですが、たとえば、「繰り返し」の本と「ストーリー」の本は、子どもたちは何歳でも大好きです。

つまり、**「○○歳だから△△の本」という選び方はナンセンス。子どもの成長に合わせて、同じ絵本でも子どもたちの興味を持つ場所**

国語力をつける！ 絵本知育のポイント

☑ 文字と絵のバランスを意識する

☑ 発達の様子に合わせて選ぶ

＼カラーで絵がたくさん／

＼モノクロ、自分で話をつくる／

は変わっていきます。それを一緒に楽しむことができるのが、親子のいいところ。

また、国語力につなげたいというとき、少し意識して取り入れるといい本があります。

ステップ④文字の世界に移行していく絵本

モノクロの本や、絵の少ない本を選んで読む。『もりのなか』（福音館書店）『こぶたくん』（童話館出版）など。

絵本には本当にいろいろな読み方があり、「どれがいい、悪い」というのはありませんが、大量に読み聞かせて言葉のシャワーを浴びせるだけでなく、ぜひ、親子で一冊の本を何度も楽しむ時間を持ってみてください。

そうすることで、インプットした言葉を子ども自身の内側で広げていく時間が持てるようになります。

モンテ園
□道具を使う
家庭
□日々の生活
□感情の扱い方
□季節の行事
□絵本
□毎年やる"うちのこと"
□親子の会話
家でしかできないことがたくさん！

絵本で体感？「モンテッソーリ的にする」って、どういうこと？

この本で繰り返しお伝えしている通り、子どもたちは「体感×言葉」で成長していきます。

「実際に子どもが経験している中で感じたこと」が体感。そして、その体感していることを親子で話す中で、表現やそれがどういうものかを知っていきます。

たとえば、親に「お花見がどういうものか」を教えてもらったり、「お花見をしてどう感じたか」などを話し合うなど。それは言葉のニュアンスを理解し、自分で表現していく力につながっていきます。

絵本のよさは、実際の体験ができるところです。登場人物の気持ちを考えたり、絵本に出てくるものを実際に作ってみたり、体験してみたりすることができます。

たとえば、『しろくまちゃんのほっとけーき』（こぐま社）を読んで、実際にホットケーキを作ってみたり、砂場で再現してみる。『いない

いないばあ』（童心社）を読んで、一緒に「いないいないばあ」をやってみる。

知育とは？ みたいに難しく考えないで大丈夫です。

苦手な食べ物を食べることができた子どものお話だったら、実際に親子で苦手なものを一つがんばって食べてみる、というのもいいと思います。お母さんも、自分の苦手なものを食べてみてくださいね。

ここで大切なのは、全部をカンペキにするのではなく、**とりあえずやってみた、くらいのノリで終わるのもよし**とすること。

ホットケーキを焼いていてぷつぷつ穴が空きだしたら、「ぷつぷつ穴があいてきたね」くらいの会話だけでも大丈夫。

子どもからの返事が**「ふーん」だけでも終える気軽さでやってみることでそのうち会話も続くようになり**、ゆくゆくは、子どもが自分だけでやるようになっていきます。

5章では、おうちモンテでの子どもの集中と、集中の先にある子どもの成長＝知性のつくり方についてお話してきました。集中はただ黙々と何かをするだけでない、ということを感じていただけたら嬉しいです。

ラスト6章では、ほめ方・しかり方についてお話します。モンテッソーリ教育のほめ方というと、「事実だけを言う」「過程をほめる」という方が多いですが、それで上手にほめられている方は本当に少数です。人をほめるというのは、理屈ではなくて、心がこもってないと届かないのです。だから、理屈に振り回されないほめ方のコツがいります。そのコツについてお話しします。

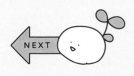

第６章

「ほめ方・しかり方」を正しく知っておうちで生かす

「子どもを伸ばす＋自己肯定感を上げるほめ方・しかり方」って、なんですか？

モンテッソーリ教育では、「できた・できない」というように子どもを評価したり、ジャッジする声がけは基本的に行わず、事実だけを伝えるとされています。

だからといって、「○○したんだね」とほめればＯＫかというと、結果的に「……」という反応が子供から返ってきます。その手応えのなさに悩む方もいれば、先生っぽくなっていく方もいる。あるいはほかのほめ方・しかり方を求める方もいます。

私は、「言葉は生きている」と考えています。冷静に客観的な事実だけを話したつもりでも、言う人の感情も伝わるくらい生きたものです。

イライラしていれば、ネガティブな感情が伝わります。ほめ方・しかり方の本をそのまま真似した言葉であれば、温度感のなさが伝わります。「こう言えばこう動いてくれるはず」という打算があれば、その「コントロール感」が伝わっていきます。

子どもの話の聞き方・ほめ方・しかり方……ちまたにはたくさんの情報があふれていますが、ここは初心に返って、世界一シンプルなほめ方の極意をご紹介します。

親の「お悩みあるある」チェック

褒め方・しかり方がわからない！

- □ 自分はそもそも褒めるのが苦手だ
- □ 子どもをどうほめていいのかがわからない
- □「できたねー」とばかりほめてしまう。
- □ 子どもをほめているのに、嬉しそうじゃない
- □ ほめ言葉が、マンネリ化している
- □ 怒ってばかりの自分にがっかりする
- □ 子どもをほめているのに、言うことを聞かない
- □ うちの子、ほめるところが見つからない
- □ いろんなほめ方を調べて実践！でもなんだかうまくできない
- □「あなたって〇〇な子ね」とほめるのに抵抗がある

褒める＝評価ではないのです。
自己肯定感が高い子に育つための
のほめ言葉には、ちょっとした
コツがあります。

よくある
お悩み
ほめ方が
わからない!
どこを
ほめていいか
わからない
ほめ言葉が
マンネリ化
している
しかり方も
むずかしいし…
本などを
参考にしても
反応が
イマイチ

思春期でも話せる親子になりたい

「子どもに、どんな言葉をかければいいのか」。ほめ方・しかり方というのは一年中受ける相談です。あまりに多いので、無料の個別相談では、この2つをワークの一つにしています。

書店に行くと、ほめ方・しかり方の本がたくさんあります。たくさん研究されていて、いろんな本のいいとこ取りをしながら、ご自身のトークマニュアルを持っている方もいます。

にもかかわらず、一定期間がすぎるとそのほめが、子どもに響かなくなってまた悩む。結局、知っていても知らなくても悩むのが、ほめ方・しかり方です。

- **子どものどこをほめていいのかわからない**
- **マンネリで、いつも同じことをほめている気がする**
- **ほめても子どもが喜ばない**
- **しかりだすと、本人に対して怒りを止められない**
- **子どもが親の顔色を見るようになった**

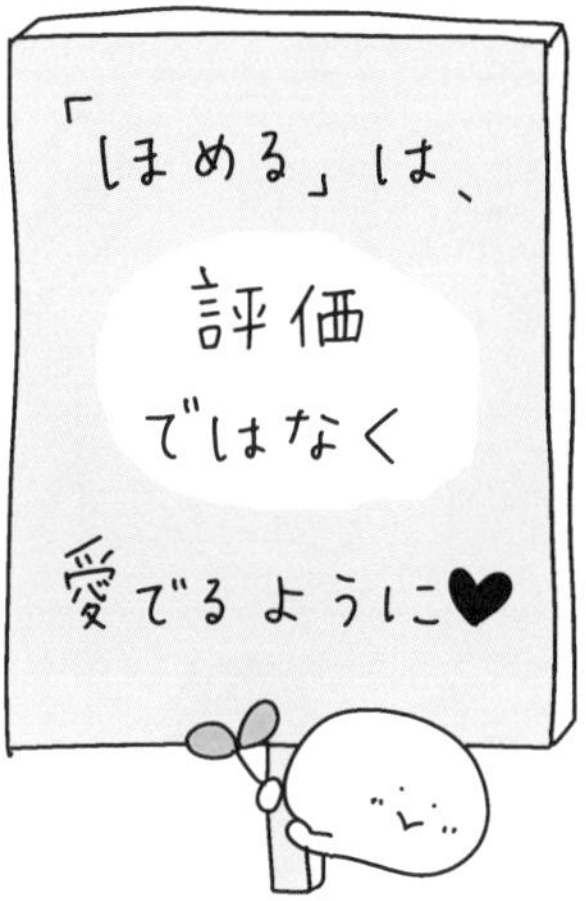

などなど、いろんなお悩みがあります。

言葉には、そのご家庭が表れます。実際育児相談でその方が実際にお子さんに対して使っている言葉に着目すると、皆さんが口を揃えて言うのが「言葉って生きているんですね」ということ。

ここでは、その「生きている」を実感する世界一わかりやすい、ほめ方・しかり方の極意をお伝えします。

言われた人が嬉しいのがほめ言葉。だけど……

最初に知っておいてほしいのは、**「ほめるときも、しかるときも、親が『評価モード』になってはいけない」**ということ。

そもそも、ほめ言葉は、相手が嬉しくなるものです。同じように、子どもが「直そう」と思わなければ、しかる意味もありません。どちらにしても**「子どもの気持ちが動く声がけかどうか」が大事なのですが……**。

そこに「評価」という視点が交じると、伝える方が「ほめたらも

ほめ言葉で悩む人の3タイプ
工夫してるのに反応が良くない….
「私」を主語にしてほめるタイプ
ほめてからダメ出しをするタイプ
事実しか伝えていないタイプ
私は！私が！
よかったけど ここをもっと…
絵、描いたの〜

っとするだろう」と、「子どもになにかをさせる」ためにほめることになってしまいがちです。それでは「子どもをコントロールすること」が目的になってしまいますよね。

そういう親御さんの中には「うちの子、単純なのでだまされやすくて助かります」という方もいますが、子どもを一人の人として尊重しているか？という視点で見ると、少し疑問に思います。

あるいは、長い目で見ていくと、子ども自身がそこに残念さを感じたり、「ほめられて嬉しい気持ち」がなくなることもあります。

迷宮入りしやすいほめ言葉の3パターン

①事実だけを伝える（「できたね」とほめてはダメ）
②間違いを指摘する前にいいところをほめておく
③「私はこう思う」と私＝I（アイ）を主語にする（Iメッセージ）

①は、たとえば子どもがイチゴの絵を描いたときに「これはイチゴだね」「イチゴを描いたんだね」と、事実だけを伝えるというもの。「モンテッソーリでは『うまく描けたね』などとほめてはいけないと

聞いたので……」という方に多いのですが、子どもはあまり喜ばないので会話が広がらない、と悩まれます。

②は、本当に伝えたかったダメ出しの部分が直らずイライラ。結局、ほめたことが無意味に感じられて悩む方です。

③は、「ママはこう思う」「あなたがそうしてくれると、ママは嬉しい」など、自分を主語にして伝えるもの。心から自分の気持ちを言っているなら別ですが、子どもになにかしら求めている場合が多く、子どもが期待した行動をしない、と悩みます。

どのほめ方も、本来は効果的なもので、セオリーが間違っているわけではありません。悩むのは、それを使う人の目的がズレているからです。

本当にうれしいナ！
だから
またやってほしい
ほめたらやる気に
なるだろう
コントロールして
うまく進めたい
もっと
できるはず
手放しで
ほめていない
親の真意を
子どもは
見抜きます

大切なのは「なんのために言うのか」

独りごととは違い、人が使う言葉である以上、「なんのために言うのか」が大切。つまり「ほめることで、子どもになにを伝えたいのか」ということがポイントです。**純粋に自分が嬉しいということなのか、なにかをしてほしい意図があるのか。それが子どもに伝わっていきます。**「なにかをしてほしい」には、「こう言ったらこうしてくれるだろう」という打算があったりしますよね。でも、子どもは不思議とその意図を見抜いて、ほめられても喜ばなかったり、親の望むことをしなかったりするものです。無意識に「イヤ」と言っているとも言えます。

マニュアルに頼らないほめ方のコツ

ほめ言葉にかぎらず、「こんなときはこう言えばいい」とわかっていてもとっさに言葉が出てこなかったり、本心とは違うことを言っ

言葉は、エネルギーを放つもの

てしまったという経験は、皆さんにもあると思います。

そして同じ言葉であっても、相手がどう受け取るかは、言い手の伝え方や受け取り手の状態によって違ってきます。

それくらい**言葉は「生きもの」**なのです。なので、トークマニュアルみたいな事前に用意された言葉は、多くの場合あまり意味を持ちません。

教育施設と違い、親子はコミュニケーションを取る機会も多く、いろんなことを話します。だからこそできるだけ「素の自分」で話す。マニュアルに頼ることなく、本音で話すことが求められます。

そこで、知っておいてほしい伝え方のコツが一つあります。

言葉はエネルギー。向きと大きさがある

決してあやしい意味ではなく、**「言葉はエネルギー」だと思ってみてほしい**のです。

- **ほめる＝プラスのエネルギー**
- **しかる・けなす＝マイナスのエネルギー**

ほめ言葉の向かう先を意識しよう

エネルギーには「向き」と「大きさ」があります。

激しく怒る、大いにほめることは勢いがあるぶん、エネルギーとして大きいです。そしてなにげなくつぶやいた言葉でも、伝わるには十分なエネルギーを持っています。大げさにほめなくても、なにげない毎日の会話が、相手にとっては心地よいほめにつながることもあります。

そして、**プラスの言葉、マイナスの言葉それぞれに「向き」があります。**言葉がどこに向けられるかで、子どもの感じ方に差が出ます。

言葉の向かう「向き」とは

言葉の向かう向きは、４つあります。

①子ども自身
②できたことや結果
③第三者
④どこにもかからない

まず知ろう！ あなたは、どこをほめている？

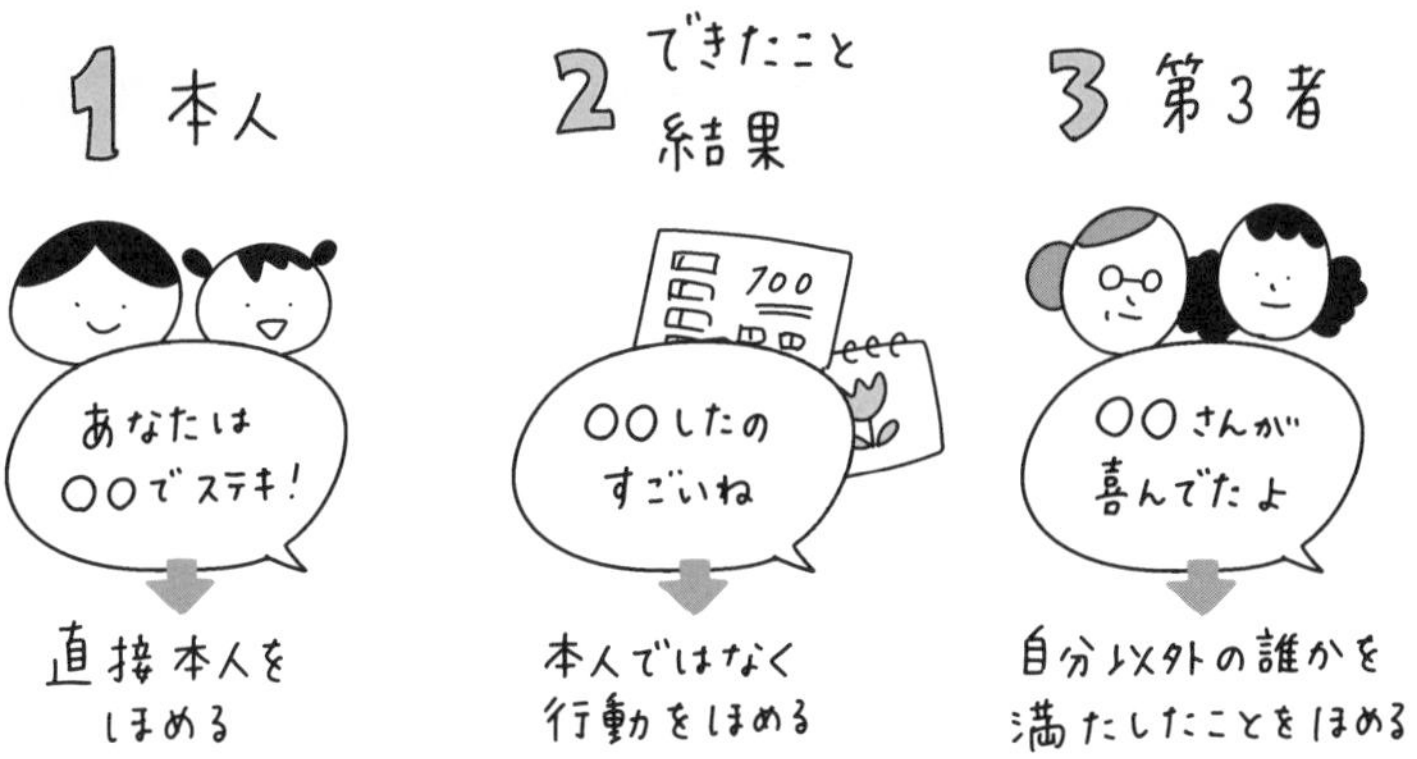
1 本人
2 できたこと 結果
3 第3者
あなたは ○○でステキ！
○○したの すごいね
○○さんが 喜んでたよ
直接本人を ほめる
本人ではなく 行動をほめる
自分以外の誰かを 満たしたことをほめる

①は、子ども自身にかかる言葉。どんな言葉かというと、その人のあり方や、存在そのものの価値を伝える言葉です。
「あなたって○○な人だね」とか「あなたの○○は素敵だね」など、必ず本人のどこかに言葉が向かっています。

②は、子どもがしたことや結果にかかる言葉。たとえば、「○○できるなんてすごいね」とか「○○したの？ 偉いね」「○○するなんてがんばったんだね」など、「したことや結果」を伝える言葉。本人自身ではなく、本人の行動した結果に言葉がかかっています。

③は、第三者に対してなにかをしたことにかかる言葉。たとえば、子どもになにかをしてもらって「お母さん嬉しい」「○○してくれたから、パパが喜んでいたよ」など、本人以外のだれかを満たしたことへの感謝を伝えます。

④は「へえ、そうなんだ」みたいな相づちの言葉。どこにもかか

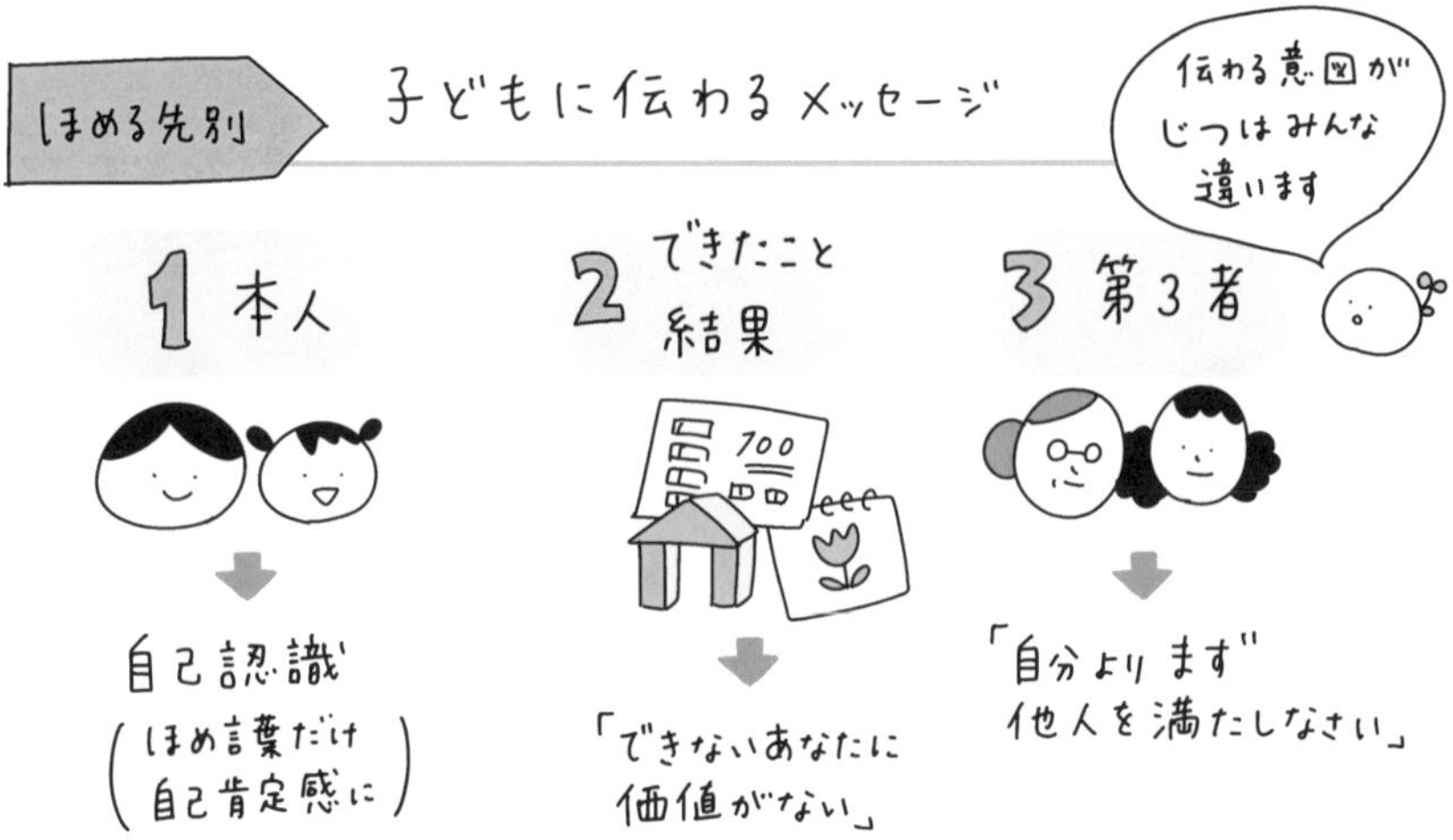
ほめる先別
子どもに伝わるメッセージ
伝わる意図が
じつはみんな
違います
1 本人
2 できたこと
結果
3 第3者
自己認識
（ほめ言葉だけ
自己肯定感に）
「できないあなたに
価値がない」
「自分よりまず
他人を満たしなさい」

らないので、間が埋まるだけで、言ってもいわなくても同じとも言えます。

かけられた言葉それぞれが意味を持つ

4つのうち、人になんらかのメッセージを伝えるのは、①〜③の3つです。この**「どこに言葉がかかっているか」**で、**それぞれ暗黙のうちに伝わる意味があります。**

①本人にかかる＝自己肯定感を育む言葉になりうる

本人そのものにかかるのは、「あなたは○○な人だね」というメッセージ。多くの場合、そのままその子の自己認識になっていきます。「ほめると自己肯定感がアップする」といいますが、ほめられた中で自己肯定感につながるのは、この本人にかけられた言葉だけです。

②したこと・結果にかかる＝できるあなたが素晴らしい

子どもがしたこと・結果にかかる言葉は、「したこと自体が素晴らしい」というメッセージになります。なぜなら、できないとほめら

たとえば自分だったら…どっちが すごーく うれしい？
毎日されてるなんてあなたって素敵ね！
まあ、うれしいです
おそうじがとっても上手よね！
あ、ども…
ほめ言葉の向かう先で
うれしさも変わります

れないからです。

教室で子どもたちを見ていて、新しいことにあまりチャレンジしない子や、少しやるとすぐやめてしまうというお子さんの場合、いつも結果をほめられているお子さんがほとんどです。

③第三者＝「まず他人を満たしなさい」というメッセージ

第三者にかかる言葉に「だから～してほしい」というコントロールの意味合いが強く含まれていると、「自分の前に、まず相手を満たしなさい」という意味で伝わります。

事実しかほめないことの残念さ

そして「事実だけを伝えてほめる」という方には、「子どもがなにかをしないかぎり声をかけない」という方が多く、それで子ども自身が自分を誇らしく思っていけるようになるかというと、微妙な場合もたくさんあります。

モンテッソーリ教育でいう「やりたいことに集中してやり通したことや達成感が得られた誇らしさ」＝**自己肯定感も大事ですが、そ**

ほめ言葉をアップデートしよう

れとは別に、人は、人からかけられた言葉で自分を知っていきます。子どもは、親にかけられた言葉が自己認識になります。ネガティブならネガティブな、ポジティブならポジティブな「自分ってこういう人」という自己イメージになる。事実しかほめないことは、よくも悪くも自分を知らないことも多くなるのです。

どんな子であったとしても、子どもにとって一番の味方は親。その子らしさを伝えるポジティブな言葉がけを積極的にしてあげてほしいと思います。

時代の変化に合わせ、ほめ方もアップデートを

言葉の意味や使われ方が時代によって変わるのは、皆さんご存じの通り。同じように、**ほめ方・しかり方も時代で変わっていきます。だから、時代に合わせてアップデートが必要。いまは、特にその「アップデート」の転換期になっています。**

時代背景から見ていきましょう。

いまの子育て世代が子どもだったころがどんな時代だったかとい

親世代
昭和、平成育ちは、「結果」＝「価値」
ほめられポイント
今の時代は本人が大切!!
私たちはここをほめられていたけど……
だからアップデートが必要なんだね
100
本人
できたこと・結果
第3者

うと、高度成長期に育った親に育てられた、バブル経済の全盛（80年代後半）からその後10〜15年にかけての時代です。

この時期は、「生産性」という言葉に象徴されるように「なにかが早くできること」が価値でした。

だから学校教育も、できるだけみんなで協調して同じ方向を向き、できるだけ早くなにかを成しとげることがほめられてきました。つまり、効率がいいことが、一つの価値になりました。

そして「言われたことを効率的にできるかどうか」のものさしとして、学歴も機能してきました。だから、ほめ言葉も「できること」をほめることが大事だったのです。

時代は変わって、**いま子どもの育つこの時代は、「みんな同じ」ではなく「あなたはどう考える？そしてどう行動する？」という、「自立・創造・多様性」の時代です。**

文部科学省が掲げる教育改革が「協調性から協働性」に変わった通り、違う意見の人同士が自分独自の意見を持ったまま、いろんな問題への解決策を話し合う時代です。

すると、**ほめ方もなにかができることだけにフォーカスするので**

本人をほめるためにしておくといい練習

親子でほめ合う
ママってやさしい〜
そう言ってくれるあなたがやさしいよ！
本音で話す
パパが子どもの頃より上手だぞ
最初はぎこちなくても子どもと一緒に成長すればいい！

はなく、「子どもの考え」を大事にする＝その人のあり方を認める言葉がけが大切になってきます。

親世代にはなじみのないほめ言葉

この「あなたはどう考えるのか」というほめ言葉、というより「問いかけ」は、私たち大人が育つなかで、ほとんどかけられてこなかった言葉です。

かけられたことがない＝経験が少ないため、自分が言おうとしてもなかなかイメージが持ちにくく、そもそも言葉として出てこない。だから子どもにうまく伝えられない、という連鎖が起きています。

親御さんが、どんなに子どもたちの自己肯定感を育みたいという思いがあったとしても、自分の言葉としては出てこないからとあきらめるのではなく、**時代に合わせてアップデートが必要。つまり、言えないこと自体が悪いのではなく、変えていくことで子どもが育ち伸びるチャンスを増やせるということです。**

「あなたはこんな子」と決めつけたくない人のためのほめ方

ときどき、「私は親から『がんばりやさんだね』と言われて育ったので、できないと言えなかった。イヤでもがんばっていたのでつらかった。だから、子どもには『あなたってこんな子だね』って言いたくないです」という方にお会いします。

ご自身の体験としてそういう思いがあること、そしてそこに気がついていることは、とても大切なことです。**一方で、子どもへの「あなたって◯◯な子だね」という言葉がけは、ご自身の経験とは別もの。子どもには大事な言葉がけです。**

子どもの頃、親から「がんばりやさんだね」とよく言われていた。という方の多くは、その方の親御さん自身が「がんばることが価値」だと考えていたのだと思います。

つまり、その親御さんが「がんばらない子は認めない」という価値観を持っていて、無自覚にその価値観を子ども時代のあなたに伝えていたということです。いま大人になったあなたは、それがつら子どものすてきなところをいろんな言葉で伝えよう!

×
同じポイントを
何度も伝える
あなたは
がんばり屋ね
よく
がんばったね
がんばったから
○○できたね
もっと
がんばれるよ
○
いろんなポイントを
見つけては伝える
気が利くね
上品だね
いつも
明るいね
大きくなったね
やさしいね
キラキラしてるね

いことだったと思っている。

でも、いまのあなたが「意識してほめることで、わが子を伸ばしてあげたい」という願いがあるなら、がんばりやさんだね、という言葉は、あなたの親御さんが使ったのとはまったく違った意味を持ってきます。

当たり前ですが、どんな人も、どんな子も、「この人はこんな人」とひとことで言い表せる人はいません。言葉を限定するのがイヤなのであれば、いろんな言葉をかけてあげればいいのです。

「あなたってこんなところがすてき」「あなたってこんな人だね」という言葉がけだけが、自己肯定感につながる言葉です。

自尊心のある子に育ってほしいとき、自分が言われてイヤだったからと言葉がけをやめてしまうのではなく、**ぜひ、言葉がけのバリエーションを広げる方を選んでほしいと思います。**

自己肯定感を上げるほめ方を知ろう

ほめ言葉と同じく、しかる言葉も206ページでお伝えした4つ

ネガティブな言葉の影響を知ろう

向かう先を分けたつもりでも、子どもにとってはほぼ「本人」にかかってしまう
どうしていつも〇〇なの？
〇〇だからイヤなのよ
〇〇はよくなかった
〇〇さんがさびしかったって
〇〇しちゃダメよ
本人
できたこと・結果
第3者

の向きのどれかに入ります。ほめるときは「子どもがしたこと・結果」にかかりやすいのに対し、しかるときは「子ども自身」にかかることが多い傾向があります。

たとえば、「どうしてあなたっていつも〇〇なの？」という場合、この言葉は子ども自身にかかっています。

そのとき、親は子どもがしたことについて怒っているのであって、子ども自身に対してしかっているわけではありませんよね。

でも、やっかいなことに**日本語は主語があいまいなので、「したこと」と「本人」の区別がつきにくい部分があり、大人が分けていると思っても、実際にはなかなかきっぱり分けられるものでもなかったりします。そして、子ども本人は自分自身がしかられていると思い込んでしまうことがほとんど。**

おまけに、ネガティブな言葉は反射的にポンと口から出てしまいがちで、止めようと思っても出てしまうもの。

よく「感情をコントロールすることが大事」と言う方がいますが、「感情をコントロールする＝ネガティブな感情をなかったことにす

ほめ言葉もネガティブなエネルギーも、貯金のように貯まる

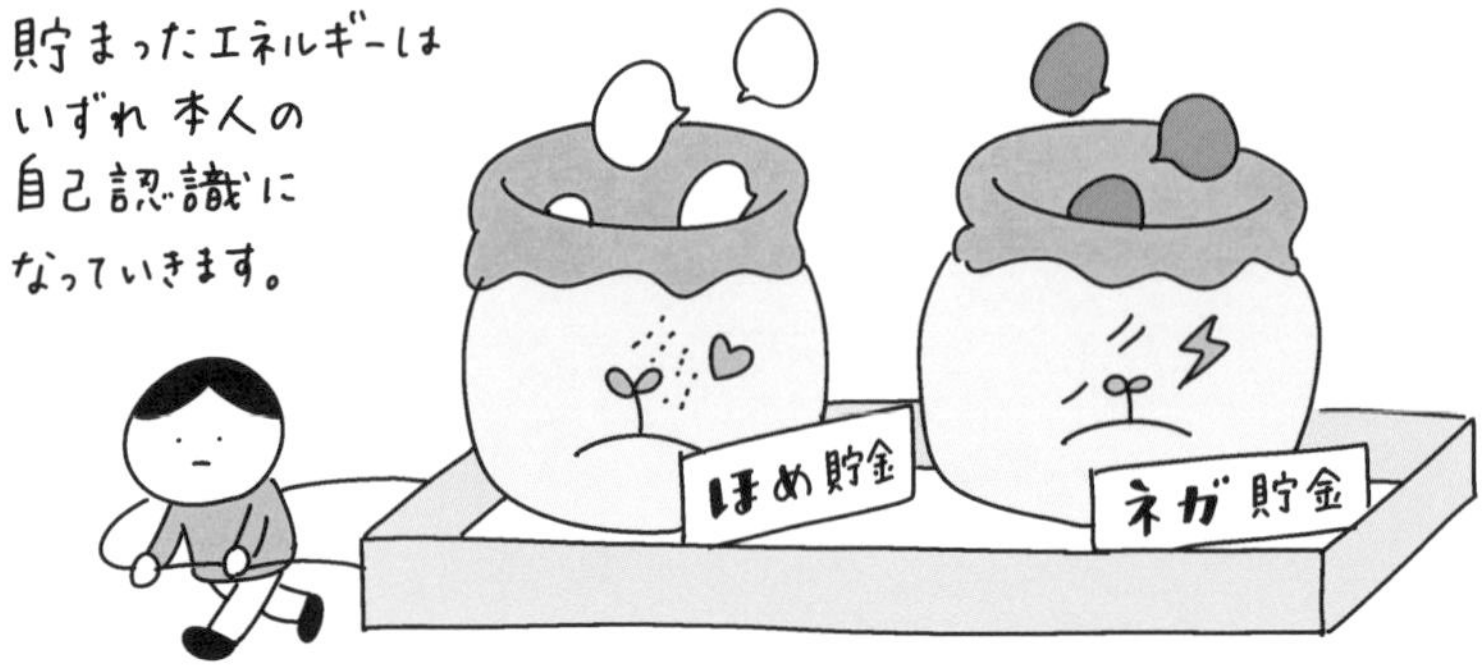
貯まったエネルギーは
いずれ本人の
自己認識に
なっていきます。
ほめ貯金
ネガ貯金

る」よりも、なにがイヤだったのか、それはどんな気持ちで、本当はどうしたら自分が満足だったのか、をしっかりと感じることが大事。なかったことにはできないし、しないでほしいのです。

そして、どうしてもマイナスな言葉は本人にかかってしまいがちです。だからこそ、注目していきたいのは、ポジティブな言葉の方。

私がおすすめするのは「ほめ言葉貯金」です。

「ほめ言葉貯金」という考え方

言葉をエネルギーとして考えるとき、ほめる言葉はプラスに、ネガティブな言葉はマイナスに振れます。そしてポジティブ、ネガティブにかかわらず、言葉は必ずどこかにかかります。

かけられた言葉のプラスやマイナスのエネルギーが貯金のように貯まっていく。貯まったエネルギーは、そのままその人の自己認識の傾向になると思ってください。

たとえば、子どもをしかったあとに気休めにほめたり、愛していると言っても、ネガティブな言葉をかけられたことがなくなるわけではないのです。

ほめ言葉の貯金＝成長してからの自信
自信のない人
自信のある人
ほめ
ネガ
ほめ
ネガ

単純に、ネガティブな言葉がけが多ければ、子どもはネガティブな自己認識に、ポジティブな言葉がけが多ければ、ポジティブな自己認識を持った子どもになっていきます。

自己肯定感アップにつながる言葉を貯めていく

海外から見たとき、日本は謙遜と恥の文化が強い国です。裏を返すと、ほめるのが下手。だから「あなたって◯◯だね」という言葉の◯◯の中に、ネガティブな言葉が入りやすくなります。日本人の自己肯定感が低いと言われるのは、ここにあるとも考えられます。

しかし、**言葉は発する本人が強く意識することで変えていけるものです。なんでもいいので、『あなたってこんな人ね』という言葉でほめ貯金の残高を増やすことが、子どもの自己肯定感を高めること**につながります。そう考えたら、子どものいいところを探せそうな気がしませんか。

ほめる言葉はなんだっていいのです。「指の爪、小さくてかわいいね」とか「形のいい頭をしているね」という言葉だって、幼児には

ほめ言葉は、年齢でもアップデートが必要

嬉しいほめ言葉です。

同じほめ言葉でも、これを小学生の子に言ったら、「キモい……」と言われそうです。

成長によって子どもが喜ぶ言葉も変わります。だからぜひ、お子さんが小さいうちから、いろんな言葉でほめてほしいと思います。

過程をうまくほめられるようになるための「観察」

モンテッソーリ教育にかぎらず、いろんな言葉がけの本を見ていると、「過程をほめよう」という言葉をよく目にします。

私がおうちモンテを伝え始めた10年前に比べると、「過程をほめる」という言葉も一般的になってきました。

でも、それだけ耳にするようになったいまでも、過程をほめることが上手な先生や親御さんにお会いすることは多くありません。

あなたがもし、過程をうまくほめられるようになりたいなら、チャレンジしてほしいことがあります。

それは**「できた」「できない」という2極の視点を捨てること。**

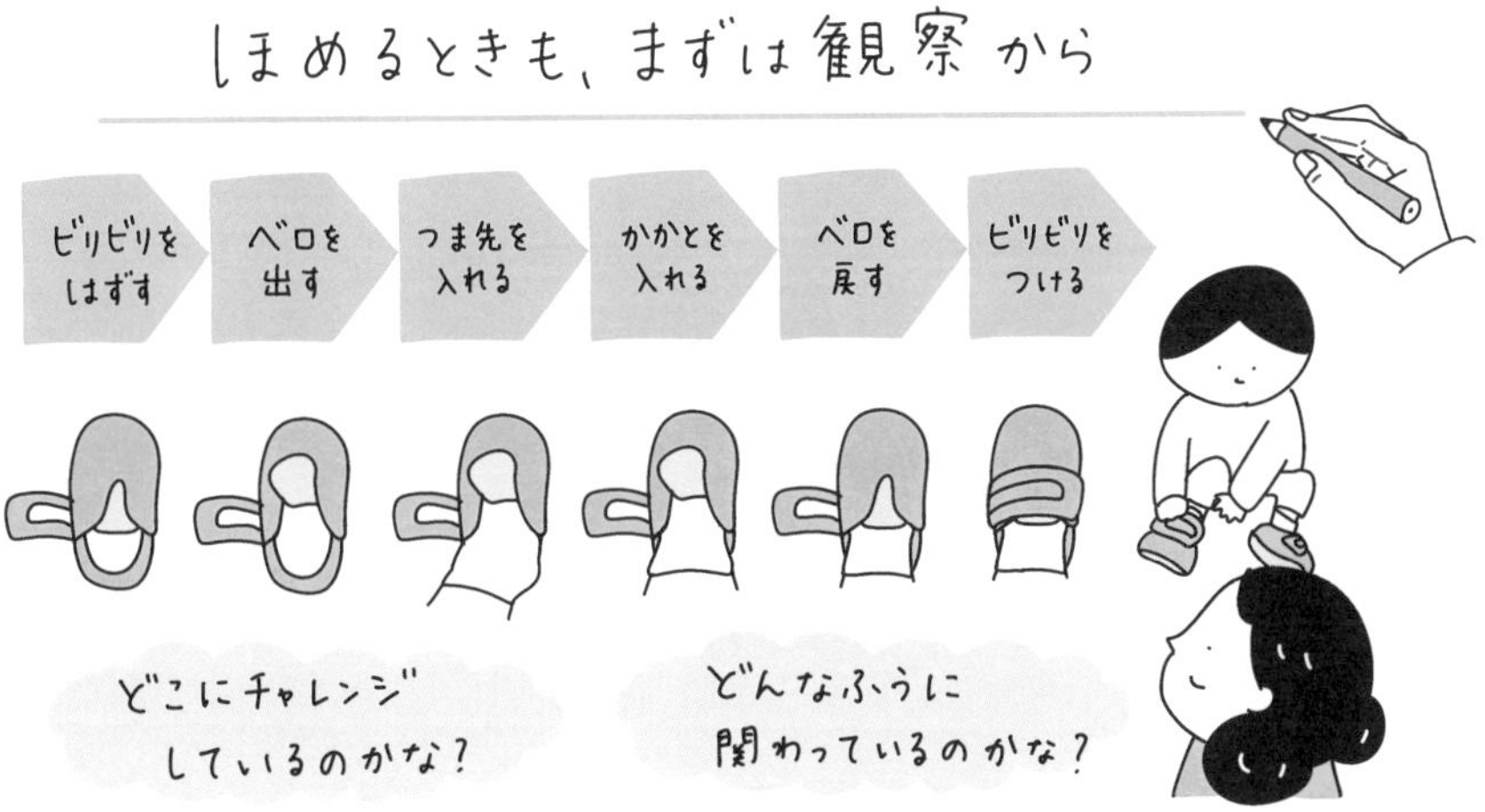
ほめるときも、まずは観察から
ビリビリをはずす
ベロを出す
つま先を入れる
かかとを入れる
ベロを戻す
ビリビリをつける
どこにチャレンジしているのかな？
どんなふうに関わっているのかな？

なぜなら、子どもは「できない」はなく「できるようになるためにチャレンジしている」人だからです。

128ページでもお話ししましたが、たとえば、上の図は靴をはくときの動きを分解してみたとき、親から見て「靴がはけない」子どもに見えても、その子は、実際に靴をはけない子ではありません。子どもは、靴をはく一連の動きのどこかができないために、「いまは靴をはけないけれど、はけるようにチャレンジしている人」なのです。

「なにかができない」というとき、子どもたちの動きを見ていると、必ずこの「チャレンジしている」部分が見つかります。

それが大人から見て失敗に見えたとしても、子どもは手を抜いているわけではありません。

たとえば、靴をはいている子は、靴を押さえる指に力を入れていたり、しっかり足先を伸ばしていたり、その子にとっての「チャレンジ」があります。

だから**過程をほめるときは「その子のチャレンジ」を見たままに、**

「事実を伝える」
よりも、
「その姿が
どうだったか」を
伝えてあげよう！
自分で
チャレンジして
いたんだね、
かっこ良かったよ！
靴を
はこうとして
いたんだね

そして「その姿を見て自分がどう感じたか」を伝えてあげてください。

それがモンテッソーリ教育のいう「事実を伝える」ことの本質であり、親だからこそ伝えられる「あなたのこんなところが素敵」というほめにつながるのです。

お教室で子どもたちとじっくり話していても、あるいはカウンセリングの現場でも、最後の最後に子どもたちに残るのは、家族との会話と、そこで感じた「気持ち」です。

子どもが、なにができるかできないか、そして親御さんが、なにか特別なことをしてあげられたかどうかに関係なく、親子はずっと親子で、そしてつながっているものです。

「ちゃんと育てる」というような、誰かにほめられるための子育てではなく、自分がどんなふうに育てたいと思うのか。お子さんへの言葉がけを意識していくと、違った世界が見えてきます。

日々の育児を、親子で楽しんでくださいね。

最後まで読んでくれてありがとう！
みんなへのお礼として、本の中で紹介した
「季節のワーク」のシートをプレゼントするよ。
ダウンロードして、楽しく活用してね！

おわりに

最後までお読みいただいてありがとうございます。この本では、「正しい育児」の答えではなく、「自分にとっての育児」を自分で見つけるための方法をたくさんご紹介してきました。

ご紹介していることは全部、この10年間でいただいたお母さん・お父さんからの質問にお答えしてきたものです。すぐに使える実践的なノウハウではありますが、同時に、マニュアルというよりは自分で一つひとつ「宝探し」をしていくような内容でもあります。

「えっ？変わらなきゃいけないのは私？めんどくさい……」と思われたかもしれないし、実践してみても、最初は実感が少ないかもしれません。「こんな感じでいいの？」と不安に思うことがあっても大丈夫！続けるうちに、少しづつ変わっていきます。

お子さんのふるまいや、幼稚園や学校、習いごとの先生との会話でなにか気になったときに、ヒントになりそうなところをお読みいただき、ご自身でちょっとした答えを見つけてみてください。

私たちが生きている世界は、いつも変わっていきます。だから、お母さんもお父さんも、お子さんと一緒にアップデートしていくことは子育ての1つの醍醐味でもあります。

「自分らしい、うちらしい育児」を親子と夫婦で見つけていくうちに、育児の「コンパス」が作られていきます。だからこそ毎日ちょっと少しづつ、ふだんの暮らしの中でおうちモンテを続けてほしいと思います。


子育ては、子どもと一緒に「新しい自分、新しい家族」を作っていくことができます。自分がどんな育ちだったとしても、作りたかった家族を作ることができるのです。

それは仕事のように、すぐに目に見える成果として感じられることばかりではないかもしれないけれど、ちょっとしたことを大事にしていくことで、子どもとあなたの変化を教えてくれるはずです。

それを、たったこれっぽちの変化なんて……と欲張らずに受け止めてみてほしいと思います。その時間はきっと、「何かができる」というスキルだけではなく、子どもの心の器を広げていってくれるものになります。


親子の一生の絆を作るおうちモンテッソーリの時間を楽しんでくださいね。

菅原陵子（すがわら・りょうこ）

モンテッソーリ・ホームレッスン代表

モンテッソーリ教師、カウンセラーで2児の母。出版者の編集者として子育てをする中で、モンテッソーリ教育に出合う。「知ることで、育児はぐっと楽になる」をモットーに、理屈ではなく「親が365日おうちで使える」モンテッソーリを提唱している。講演・講座は常時満席。キャリア・子育て、自分の生き方などの転換期となる子育て世代に対し、すべての悩みを不安からでなく、「自分が本当にしたいこと」からできるようになる講座やワークを提唱。そのわかりやすさと変化には、モンテッソーリの先生も通うほど定評がある。趣味は学ぶこと（年間200時間以上）、読書（年間1000冊）、ものづくり。夢は子育てをきっかけに、親子で自分らしく生きる世界を当たり前にすること。

・モンテッソーリ・ホームレッスン（公式サイト）
https://home-monte.com/

・公式メールマガジン
https://home-monte.com/merumaga-t/

・モンテッソーリ・米粉クラブ（親子のための料理教室）
https://monte-komeko-club.com

世界一やさしい
おうちゆるモンテッソーリ

2023年2月10日 初版第1刷発行

著者	菅原陵子
発行者	小山隆之
発行所	株式会社実務教育出版
	〒163-8671 東京都新宿区新宿1-1-12
	電話 03-3355-1812（編集） 03-3355-1951（販売）
	振替 00160-0-78270
編集	小谷俊介
ブックデザイン	吉田考宏
イラスト	梶谷牧子
DTP	華本達哉（aozora.tv）
印刷・製本	図書印刷

ISBN978-4-7889-0916-8 C0037